Grammaire anglaise

DANS LA MÊME COLLECTION

ANGLAIS

- Grammaire anglaise
- Conjugaison anglaise
- Vocabulaire anglais

ESPAGNOL

- Grammaire espagnole
- Vocabulaire espagnol
- Conjugaison espagnole

FRANÇAIS

- Grammaire française
- Dictées
- Orthographe française
- Déjouer les difficultés de la langue

ITALIEN

- Grammaire italienne

ALLEMAND

- Grammaire allemande

© 2008, Pocket, un département d'Univers Poche
2010 pour cette présente édition
ISBN : 978-2-266-16443-6

Grammaire anglaise

par

Jean-Pierre Berman
Ancien Assistant à l'Université
de Paris IV Sorbonne

Michel Marcheteau
Agrégé d'anglais

Michel Savio
Professeur honoraire
à l'École Supérieure d'Électricité

6e édition

Contents • *Table des Matières*

Contents • *Table des Matières*

PRÉSENTATION

- Le présent ouvrage vise à enseigner les mécanismes de base qui régissent le fonctionnement de la langue anglaise, et qui permettent donc l'expression et la compréhension.

- Cette grammaire s'adresse donc à toutes celles et à tous ceux qui veulent communiquer dans la langue d'aujourd'hui.

- Elle évite les théories abstraites et les termes inutilement techniques qui ne font que compliquer l'apprentissage, mais elle explique en détail toutes les règles grammaticales essentielles.

- Elle s'attache en particulier à résoudre les difficultés traditionnelles des francophones vis-à-vis de l'anglais, et indique les moyens de remédier aux fautes les plus fréquentes.
  De nombreux exemples, avec leur traduction, tirés de la vie courante, illustrent les points traités.

- Dans la partie **Annexes : Comment traduire**, est expliqué l'emploi de mots de grande fréquence.
  Des tableaux clairs et complets facilitent la lecture de cet ouvrage dont l'approche est résolument réaliste et pratique.

➡ Enfin un **Index** alphabétique permet de se reporter directement aux problèmes que vous souhaitez revoir.

■ PRONONCIATION : à l'intention de celles ou ceux qui « débutent », certains mots sont accompagnés d'une <u>figuration très simplifiée donnant une approximation de la prononciation et de l'accentuation</u> (en anglais, dans les mots de plus d'une syllabe, l'une d'entre elle est prononcée plus fortement : cet « accent tonique » est indiqué ici en **gras**).

➡ Un tableau détaillé est proposé en fin d'ouvrage donnant les équivalents du système employé ici et celui de *l'Alphabet phonétique internationale*, (A.P.I.) plus technique et utilisé dans les dictionnaires.

LES VERBES

1. Généralités

La conjugaison d'un verbe anglais est simple. Il faut connaître :

- <u>ses trois formes de base</u> :
    - l'infinitif ;
    - le « prétérit » (unique temps simple du passé) ;
    - le participe passé.
- <u>les auxiliaires</u> :
    - **to have,** *avoir ;* **to be,** *être ;*
    - **shall** et **will** (pour former le futur) ;
    - **should** et **would** (pour former le conditionnel).

Remarque : le verbe **to be,** *être,* a une conjugaison particulière ; (➡ p. 17).

2. Infinitif

- A l'infinitif, le verbe est normalement précédé de la particule **to** qui est prononcée :

[tou]	devant une voyelle	**to eat** [tou i:t]	*manger*
[tou] ou [te]	devant une consonne	**to like** [te laïk]	*aimer*

- L'infinitif négatif s'obtient en plaçant **not** devant le verbe :

    to be or not to be, *être ou ne pas être.*

3. Présent

- Au présent le verbe a la même forme qu'à l'infinitif à toutes les personnes, sans la particule **to** :

    I eat, you eat, we eat, etc., *je mange, tu manges,* etc.

- Mais il faut un **s** à la 3e personne du singulier :

    he eats, she eats, *il mange, elle mange.*

- Remarque à la 3e personne du singulier :

a) avec les verbes terminés en **-s, -z, -x, -sh, -ch, -o,** on ajoute **-es** :

to push	*pousser*	**he pushes**	[**pou**chiz]	*il pousse*
to go	*aller*	**he goes**		*il va*

b) avec les verbes terminés par **-y** précédé d'une consonne, **y** se transforme en **-ies** :

    to try, *essayer ;* **he tries,** *il essaie.*

Mais **to stay,** *rester,* donnera normalement **he stays,** *il reste.*

7

4. Passé : prétérit et participe passé

On distingue des verbes réguliers et des verbes irréguliers.

■ *Verbes réguliers :* leur passé, appelé « <u>prétérit</u> », et leur participe passé, se forment tous deux en ajoutant **-ed** à la fin du verbe à l'infinitif sans **to**.

to connect,	*raccorder, brancher ;*
he/she connected,	*il/elle a raccordé / raccorda / raccordait*
connected,	*raccordé, branché.*

• Remarque :

a) avec les verbes terminés par **-e**, on ajoute seulement **-d** :

to invite, *inviter ;*
I invited, *j'ai invité (j'invitai, j'invitais).*

b) avec les verbes terminés par **-y** précédé d'une consonne, la terminaison devient **-ied** :

to cry, *pleurer ;* **she cried** *(elle a pleuré, elle pleura, elle pleurait).*

c) on double la consonne finale précédée d'une seule voyelle :
– dans les verbes d'une seule syllabe : **to beg,** *mendier,* **he begged ;**
– dans les verbes de plus d'une syllabe si la dernière porte l'accent tonique : **to prefer** [prife**ʳ**], *préférer,* **he preferred ;**
– même s'il n'y a pas d'accent tonique sur la dernière syllabe, le **l** final est toujours doublé (sauf en américain) :

to travel, *voyager ;* **they travelled** (US : **traveled**).

■ *Verbes irréguliers :* ils ont un prétérit et un participe passé que l'on ne peut prévoir à partir de l'infinitif. Voir liste ➡ p. 89.

5. Participe présent

On ajoute **-ing** à la fin du verbe :

to work, *travailler ;* **working,** *travaillant.*

➡ Remarques :

a) le **-e** final disparaît : **to invite, inviting.**

b) si le verbe se termine par **-y,** on ajoute **-ing** après :

to try, *essayer,* **trying,** *essayant.*

c) pour le doublement de la consonne finale, même règle qu'au n° 4, c :

to beg	*mendier*	**begging**	*mendiant*
to prefer	*préférer*	**preferring**	*préférant*
to travel	*voyager*	**travelling**	*voyageant*

6. Temps composés du passé

■ **Le Present perfect.**

> have (**has** à la 3ᵉ pers. sing.) + participe passé.

I have visited Winchester, *j'ai visité Winchester ;*
She has visited Montreal, *elle a visité Montréal.*

➡ Attention : en français, quand un verbe ne peut avoir de complément d'objet, *venir*, par exemple, le passé composé se conjugue avec le verbe *être* : *je suis venu…*
Mais en anglais on emploie toujours **to have** :

> **I have come,** *je suis venu.*

■ **Le Pluperfect** (plus-que-parfait) :

> had (à toutes les personnes) + participe passé.

I had finished, *j'avais fini ;*
They had finished, *ils avaient fini.*

7. Futur

■ *Futur simple :* il s'obtient à l'aide des auxiliaires **shall** et **will**.

> shall + infinitif sans **to** : 1ʳᵉ personne (singulier et pluriel)
> will + infinitif sans **to** : autres personnes.

I shall buy a car, *j'achèterai une voiture ;*
They will come tomorrow, *ils viendront demain.*

➡ Remarques :
• en anglais parlé, **will** et **shall** s'abrègent en **'ll** (➡ nº 14).

> **I'll buy a car,**
> **They'll come tomorrow** ;

• de même les formes négatives s'abrègent et donnent :

> **shall not → shan't** [chant],
> **will not → won't** [wôount] ;

■ *Futur antérieur :*

> shall + **have** + participe passé : 1ʳᵉˢ personnes ;
> will + **have** + participe passé : autres personnes.

We shall have eaten, *nous aurons mangé ;*
He will have finished, *il aura fini.*

8. Conditionnel

■ *Le conditionnel présent :* il se forme avec les auxiliaires **should** [choud] et **would** [woud].

> **should** + infinitif sans **to** : 1res personnes ;
> **would** + infinitif sans **to** : autres personnes.

I should come if…   *je viendrais si…*
He would like…   *il aimerait…*

• Remarques :
– **would** tend à remplacer **should** à la 1re personne ;
– **should** et **would** s'abrègent en **'d** en anglais parlé (➡ p. 14) :

I'd come if…   *je viendrais si…*
He'd like…   *il aimerait…*

– de même les formes négatives s'abrègent et donnent :

I should not come = I shouldn't come   *je ne viendrais pas.*
He would not like = he wouldn't like   *il ne voudrait pas.*

■ *Le conditionnel passé :*

> **should** + **have** + participe passé : 1res personnes ;
> **would** + **have** + participe passé : autres personnes.

I should have liked to come   *j'aurais aimé venir.*
They would have liked to come   *ils auraient aimé venir.*

9. Le subjonctif

Il est assez rare en anglais. On rencontre cependant les formes suivantes :

■ *Subjonctif simple.*

a) subjonctif présent : à toutes les personnes on a la forme de <u>l'infinitif sans **to.**</u>

God save the Queen ! *(Que) Dieu sauve la Reine !*
God bless you ! *(Que) Dieu vous bénisse !*

b) Traduction par le prétérit : à toutes les personnes on a la forme du <u>prétérit.</u>

It's high time we went, *il est grand temps que nous partions.*

• Pour **to be,** on utilisera la forme du pluriel **were,** à toutes les personnes, mais en fait, dans la conversation, **was** est employé aux 1re et 3e personnes du singulier.
Voir ➡ p. 26 et 28. pour l'emploi de ces formes.

■ *Subjonctif composé :* on utilise **should** + <u>infinitif sans **to,**</u> pour exprimer une hypothèse, un ordre, un doute.

He suggests we should go, *il suggère que nous partions.*

10. Impératif

• Il ne possède en anglais qu'<u>une seule forme, celle de la 2e personne</u> :

go ! *va !*

(Alors qu'en français il y a trois formes : *va ! allons ! allez !*). Cette forme est celle de l'infinitif sans **to**.

• Aux 1res et 3es personnes on emploie **let** + le pronom complément.

partons ! **let us go !** (**let's go !**)

• A la forme négative on emploie **no** ou **do not.**

Affirmation		Négation
Let me come	Let me not come	don't let me come
Come	Don't come	don't come
Let him (her) come	Let him (her) not come	don't let him come
Let us come	Let us not come	don't let us come
Let them come	Let them not come	don't let them come

11. Forme négative

■ Les verbes auxiliaires **to be, to have, to do,** et les verbes défectifs **can, may, must, ought to, shall, will, need** et **dare** sont suivis de **not** à la forme négative.

I am not tired, *je ne suis pas fatigué(e).*
You must not lie, *vous ne devez pas mentir.*

■ Tous les autres verbes se mettent à la forme négative en utilisant l'auxiliaire **to do** + **not** :

<u>Présent :</u> • **Do not** + verbe à l'infinitif sans **to,** à toutes les personnes sauf à la 3e du singulier.

I do not like cold water, *je n'aime pas l'eau froide.*
They do not come, *ils ne viennent pas.*

• **Does not** + verbe à l'infinitif sans **to,** à la 3e personne du singulier.

He does not like whisky, *il n'aime pas le whisky.*

<u>Passé :</u> • **Did not** + verbe à l'infinitif sans **to,** à toutes les personnes.

I did not buy a car, *je n'ai pas acheté de voiture.*
She did not come yesterday, *elle n'est pas venue hier.*
They did not win, *ils n'ont pas gagné.*

■ <u>Remarque</u> : Dans une phrase comme **I have breakfast at 7,** *je prends mon petit déjeuner à 7 h,* **to have** n'est pas <u>auxiliaire</u> mais <u>verbe ordinaire</u>.

Dans tous les cas où **to have** n'est pas auxiliaire et signifie *recevoir, prendre, manger, boire,* etc., et dans les expressions comme **to have a rest,** *se reposer,* **to have a drink,** *boire un verre,* **to have dinner,** *dîner,* l'emploi de l'auxiliaire **to do** est nécessaire pour former la négation.

> **I do not have coffee for breakfast,**
> *je ne prends pas de café au petit déjeuner.*

■ <u>Contractions</u> : dans la langue parlée on utilise des formes contractées. **Not** se joint à l'auxiliaire et le **o** de **not** est remplacé par une apostrophe, ce qui donne **n't.**

I don't like cold water,	*je n'aime pas l'eau froide.*
He doesn't like whisky,	*il n'aime pas le whisky.*
She didn't come yesterday,	*elle n'est pas venue hier.*

12. Forme interrogative

Elle s'obtient en <u>inversant l'ordre sujet-verbe</u> (sauf si le sujet est un pronom interrogatif).

■ Verbe auxiliaire ou défectif (➡ p. 33) :

He is nervous	**is he nervous ?**	*est-il nerveux ?*
You can read	**can you read ?**	*savez-vous lire ?*

■ Verbe ordinaire : Pour le présent et le prétérit on a recours à l'auxiliaire **to do.**

<u>Présent :</u> • **do, does** (3ᵉ per. sing.) + sujet + verbe à l'infinitif :

Do you like fruit ?	*Aimez-vous les fruits ?*
Does he speak French ?	*Parle-t-il français ?*

<u>Passé :</u> • **did** à toutes les personnes + sujet + verbe à l'infinitif :

Did he come last year ?	*Est-il venu l'an dernier ?*
Did you visit the U.S.A. last year ?	*Avez-vous visité les États-Unis l'an dernier ?*

➡ **Pour les autres temps et modes voir** ➡ tableaux p. 17 à 24.

• Quand le sujet est un pronom interrogatif, la phrase interrogative commence par le pronom.

Who is willing to come with us ?
Qui désire venir avec nous ?

• Remarque : dans le cas ou **to have** n'est pas l'auxiliaire (➡ n° 11, p. 11-12)

• Remarque : l'emploi de l'auxiliaire **to do** est nécessaire :

Do you have tea or coffee for breakfast ?
Prenez-vous du thé ou du café au petit déjeuner ?

13. Forme interro-négative

C'est une combinaison de l'interrogation et de la négation. Elle se construit :

■ Sans contraction : <u>Auxiliaire + pronom + **not**</u> :

Is he not a Frenchman ? *N'est-il pas français ?*
Does he not come here to-day ? *Ne vient-il pas aujourd'hui ?*

<u>Auxiliaire + **not** + nom</u> :
Is not my son a nice boy ?
Mon fils n'est-il pas un charmant garçon ?
Did not your father visit the U.S.A. ?
Votre père n'a-t-il pas visité les États-Unis ?

■ Avec contraction : <u>c'est le cas le plus fréquent.</u> La contraction est placée avant le sujet (qu'il soit nom ou pronom) :

Isn't he a Frenchman ?
Doesn't he come here to-day ?
Didn't your father visit the U.S.A. ?

14. Formes contractées de to *be* et to *have*

f. complète	forme contractée		f. complète	forme contractée	
I am	I'm	[aïm]	I am not		
I shall			I shall not	I shan't	[cha:nt]
I will	I'll	[aïl]	I will not	I won't	[woount]
I should			I should not	I shouldn't	[choudent]
I would	I'd	[aïd]	I would not	I wouldn't	[woudent]
I have	I've	[aïv]	I have not	I haven't	[havent]
I had	I'd	[aïd]	I had not	I hadn't	[hadent]
You are	You're	[iouer]	You are not	You aren't	[arnt]
You were			You were not	You weren't	[wernt]
You will	You'll	[ioul]	You will not	You won't	[woount]
You would	You'd	[ioud]	You would not	You wouldn't	[woudent]
You have	You've	[iouv]	You have not	You haven't	[havent]
You had	You'd	[ioud]	You had not	You hadn't	[hadent]
He (she) is	He's	[hi:z]	He is not	He isn't	[izent]
He (she) will	He'll	[hi:l]	He will not	He won't	[woount]
He (she) would	He'd	[hi:d]	He would not	He wouldn't	[woudent]
He (she) has	He's	[hi:z]	He has not	He hasn't	[hazent]
He (she) had	He'd	[hi:d]	He had not	He hadn't	[hadent]
It is			It is not	It isn't	[izent]
It has	It's	[its]	It has not	It hasn't	[hazent]
It will	It'll	[itel]	It will not	It won't	[woount]
We are	We're	[wier]	We are not	We aren't	[arnt]
We were			We were not	We weren't	[wernt]
We shall			We shall not	We shan't	[cha:nt]
We will	We'll	[wil]	We will not	We won't	[woount]
We should			We should not	We shouldn't	[choudent]
We would	We'd	[wi:d]	We would not	We wouldn't	[woudent]
We have	We've	[wi:v]	We have not	We haven't	[havent]
We had	We'd	[wi:d]	We had not	We hadn't	[hadent]
They are	They're	[zèer]	They are not	They aren't	[arnt]
They were			They were not	They weren't	[weent]
They will	They'll	[żèl]	They will not	They won't	[woount]
They would	They'd	[żèd]	They would not	They wouldn't	[woudent]
They have	They've	[żèv]	They have not	They haven't	[havent]
They had	They'd	[żèd]	They had not	They hadn't	[hadent]

15. Forme progressive

Pour exprimer qu'une <u>action est en train de se faire</u> (ou était en train de se faire ou sera en train de se faire, etc.) l'anglais utilise une construction dite « <u>forme progressive</u> ».

1. Construction :

conjugaison de **to be** + participe présent :

to work   **you are working**
travailler   *vous êtes en train de travailler*

<u>Interrogation</u>	<u>Négation</u>	<u>Interro-négation</u>
Are you working ?	**You are not working**	**Aren't you working ?**

➡ La forme progressive existe à tous les temps :

Présent :	I work, he works	I am (he is, you are) working
Prétérit :	I worked	I was (you were, etc.) working
Present	I have worked	I have been (you, etc.) working
Perfect :	he has worked	he has been working
Futur :	I shall work	I (we) shall be working
	he will work	he (we, you) will be working
Conditionnel :	I should work	I (we) should be working
	he would work	he (etc.) would be working

2. Emploi :

■ Elle indique qu'une action est en train de se dérouler.

Elle est donc toujours utilisée pour décrire les événements de la vie de tous les jours, qui ont lieu au moment où l'on parle. Elle correspond alors au présent français :

> **It is snowing today**   *Il neige aujourd'hui*
> **Look ! she is smoking !**   *Regarde ! elle fume !*

• Attention : il s'ensuit que l'on n'emploie pas la forme progressive dans les cas suivants :

– quand les faits exprimés ne dépendent pas du moment où l'on parle

> **Dogs eat bones**
> *Les chiens mangent des os*   }   vérité générale
> **He lives in London**
> *Il vit à Londres*   }   fait établi

– avec des verbes indiquant une faculté générale de l'esprit ou des sens :

to know, *savoir,* **to like,** *aimer,* **to mind,** *voir un inconvénient à,* **to hear,** *entendre,* **to see,** *voir,* etc.

■ Pour indiquer qu'une action dure, la forme progressive sera souvent employée :

• Au **present perfect,** quand une action commencée dans le passé se poursuit dans le présent (➡ n° 2, p. 25) :

> **I have been trying to find him for two days,**
> *j'essaie de le trouver depuis deux jours.*

• Au prétérit, dans le cas d'une action passée qui s'est prolongée un certain temps (➡ n° 8, p. 28) :

> **As I was walking through the forest I saw a squirrel.**
> *Comme je marchais à travers la forêt je vis un écureuil.*

La forme progressive du prétérit correspond souvent à un **imparfait** français, temps de l'action qui a duré dans le passé.

■ La forme progressive au présent peut avoir aussi un sens de <u>futur rapproché</u> :

> **What are you doing tomorrow night ?**
> *Que faites-vous demain soir ?*

En particulier le verbe **to go** à la forme progressive suivi d'un verbe à l'infinitif correspond au futur proche français formé avec *aller* (➡ n° 7, p. 28) :

> **I am going to buy this flat**
> *Je vais acheter cet appartement.*

3. Formes négative, interrogative et interro-négative de la forme progressive :

Il suffit de mettre **to be** :

• à la forme négative :

He will not be coming	*Il ne viendra pas*
They have not been coming	*Ils ne sont pas venus.*

• ou interrogative :

Will he be coming ?	*Viendra-t-il ?*
Have they been coming ?	*Sont-ils venus ?*

• ou interro-négative :

Will he not be coming ? **Won't he be coming ?** }	*Ne viendra-t-il pas ?*
Have they not been working ? **Haven't they been working ?** }	*N'ont-ils pas travaillé ?*

LES VERBES

16. Verbe auxiliaire : to be, *être*

I. Conjugaison : forme affirmative

INFINITIF		PARTICIPE	
Présent	Passé	Présent	Passé
Être	*Avoir été*	*Étant*	*Été*
To be	To have been	Being	Been

INDICATIF					
Présent		**Prétérit**		**Present perfect**	
Je suis, etc.		*J'étais, je fus, j'ai été*, etc.		*J'ai été*, etc.	
I	am	I	was	I	have been
You	are	You	were	You	have been
He, she, it	is	He, she, it	was	He, she, it	has been
We	are	We	were	We	have been
You	are	You	were	You	have been
They	are	They	were	They	have been
Plus-que-parfait		**Futur**		**Futur antérieur**	
J'avais été, etc.		*Je serai*, etc.		*J'aurai été*, etc.	
I	had been	I	shall be	I	shall have been
You	had been	You	will be	You	will have been
He, she, it	had been	He, she, it	will be	He, she, it	will have been
We	had been	We	shall be	We	shall have been
You	had been	You	will be	You	will have been
They	had been	They	will be	They	will have been

CONDITIONNEL				IMPÉRATIF	
Présent		**Passé**			
Je serais, etc.		*J'aurais été*, etc.		*Que je sois !, soit !*, etc.	
I	should be	I	should have been	Let me	be !
You	would be	You	would have been	Be !	
He, she, it	would be	He, she, it	would have been	Let him (her, it)	be !
We	should be	We	should have been	Let us	be !
You	would be	You	would have been	Be !	
They	would be	They	would have been	Let them	be !

II. **To be,** *être : forme interrogative*

Présent	Prétérit	Present perfect
Suis-je ?	*Étais-je ?*	*Ai-je été ?*
Am I ? (Are : we, you, they ?)	Was (he) I ?	Have I (we, you, they) been ?
Is he ?	Were you (we, they) ?	Has he been ?
Plus-que-parfait	**Futur**	**Futur antérieur**
Avais-je été ?	*Serai-je ?*	*Aurai-je été ?*
Had I been ?	Shall I (we) be ?	Shall I (we) have been ?
(He, we, you, they)	Will you (he, they) be ?	Will he (you, they) have been ?
Conditionnel présent		**Conditionnel passé**
Serais-je ?		*Aurais-je été ?*
Should I (we) be ?		Should I (we) have been ?
Would he (you, they) be ?		Would he (you, they) have been ?

III. Forme négative

Présent	Prétérit	Present perfect
I am not (we, you, they) are not	I (he) was not	I (we, you, they) have not been
He is not	We (you, they) were not	He has not been
Plus-que-parfait	**Futur**	**Futur antérieur**
I had not been	I (we) shall not be	I (we) shall not have been
(He, we, you, they)	He (you, they) will not be	He (you, they) will not have been
Conditionnel présent		**Conditionnel passé**
I (we) should not be		I (we) should not have been
He (you, they) would not be		He (you, they) would not have been

IV. Forme interro-négative

Présent	Prétérit	Present perfect
Ne suis-je pas ?	*N'étais-je pas ?*	*N'ai-je pas été ?*
Am I not ? (Aren't we, you, they ?)	Wasn't I (he) ?	Haven't I (we, you, they) been ?
Isn't he ?	Weren't we (you, they) ?	Hasn't he been ?
Plus-que-parfait	**Futur**	**Futur antérieur**
N'avais-je pas été ?	*Ne serai-je pas ?*	*N'aurai-je pas été ?*
Hadn't I been ?	Shan't I (we) be ?	Shan't I (we) have been ?
(He, we, you, they)	Won't he (you, they) be ?	Won't he (you, they) have been ?
Conditionnel présent		**Conditionnel passé**
Ne serais-je pas ?		*N'aurais-je pas été ?*
Shouldn't I (we) be ?		Shouldn't I (we) have been ?
Wouldn't he (you, they) be ?		Wouldn't he (you, they) have been ?

17. Verbe auxiliaire to have, *avoir*

I. Conjugaison : forme affirmative

INFINITIF		PARTICIPE	
Présent	**Passé**	**Présent**	**Passé**
Avoir	*Avoir eu*	*Ayant*	*Eu*
To have	To have had	Having	Had

INDICATIF		
Présent	**Prétérit**	**Present perfect**
J'ai, etc.	*J'ai eu, j'eus, j'avais*, etc.	*J'ai eu*, etc
I have	I had	I have had
You have	You had	You have had
He, she, it <u>has</u>	He, she, it had	He, she, it <u>has</u> had
We have	We had	We have had
You have	You had	You have had
They have	They had	They have had
Plus-que-parfait	**Futur**	**Futur antérieur**
J'avais eu, etc.	*J'aurai*, etc.	*J'aurai eu*, etc.
I had had	I shall have	I shall have had
You had had	You will have	You will have had
He, she, it had had	He, she, it will have	He, she, it will have had
We had had	We shall have	We shall have had
You had had	You will have	You will have had
They had had	They will have	They will have had

CONDITIONNEL		IMPÉRATIF
Présent	**Passé**	
J'aurais, etc.	*J'aurais eu*, etc.	*Que j'aie*, etc.
I should have	I should have had	Let me have !
You would have	You would have had	Have !
He, she, it would have	He, she, it would have had	Let him (her, it) have !
We should have	We should have had	Let us have !
You would have	You would have had	Have !
They would have	They would have had	Let them have !

II. **To have,** *avoir : forme interrogative*

Présent	Prétérit	Present perfect
Ai-je ?	*Avais-je ? etc.*	*Ai-je eu ?*
Have I (we, you, they) ?	Had I ?	Have I (we, you, they) had ?
Has he ?	(We, he, you, they)	Has he had ?

Plus-que-parfait	Futur	Futur antérieur
Avais-je eu ?	*Aurai-je ?*	*Aurai-je eu ?*
Had I had ?	Shall I (we) have ?	Shall I (we) have had ?
(We, he, you, they)	Will he (you, they) have ?	Will he (you, they) have had ?

Conditionnel présent	Conditionnel passé
Aurais-je ?	*Aurais-je eu ?*
Should I (we) have ?	Should I (we) have had ?
Would he (you, they) have ?	Would he (you, they) have had ?

III. **Forme négative**

Présent	Prétérit	Present perfect
I have not (we, you, they)	I had not	I (we, you, they) have not had
He has not	(He, we, you, they)	He has not had

Plus-que-parfait	Futur	Futur antérieur
I had not had	I (we) shall not have	I (we) shall not have had
(He, we, you, they)	He (you, they) will not have	He (you they) will not have had

Conditionnel présent	Conditionnel passé
I (we) should not have	I (we) should not have had
He (you, they) would not have	He (you, they) would not have had

IV. **Forme interro-négative**

Présent	Prétérit	Present perfect
N'ai-je pas ?	*N'avais-je pas ?*	*N'ai-je pas eu ?*
Haven't I (we, you, they) ?	Hadn't I ?	Haven't I (we, you, they) had ?
Hasn't he ?	(He, we, you, they)	Hasn't he had ?

Plus-que-parfait	Futur	Futur antérieur
N'avais-je pas eu ?	*N'aurai-je pas ?*	*N'aurai-je pas eu ?*
Hadn't I had ?	Shan't I have ? (we)	Shan't I (we) have had ?
(He, we, you, they)	Won't he (you, they) have ?	Won't he (you, they) have had ?

Conditionnel présent	Conditionnel passé
N'aurais-je pas ?	*N'aurais-je pas eu ?*
Shouldn't I (we) have ?	Shouldn't I (we) have had ?
Wouldn't he (you, they) have ?	Wouldn't he (you, they) have had ?

18. Verbe régulier to like [laïk], *aimer*

I. Conjugaison : forme affirmative

INFINITIF		PARTICIPE	
Présent	**Passé**	**Présent**	**Passé**
Aimer	*Avoir aimé*	*Aimant*	*Aimé*
To like	To have liked	Liking	Liked

INDICATIF		
Présent	**Prétérit**	**Present perfect**
J'aime, etc.	*J'ai aimé, j'aimai, j'aimais*, etc.	*J'ai aimé*, etc
I like	I liked	I have liked
You like	You liked	You have liked
He, she, it <u>likes</u>	He, she, it liked	He, she, it <u>has</u> liked
We like	We liked	We have liked
You like	You liked	You have liked
They like	They liked	They have liked

Plus-que-parfait	**Futur**	**Futur antérieur**
J'avais aimé, etc.	*J'aimerai*, etc.	*J'aurai aimé*, etc.
I had liked	I shall liked	I shall have liked
You had liked	You will liked	You will have liked
He, she, it had liked	He, she, it will liked	He, she, it will have liked
We had liked	We shall liked	We shall have liked
You had liked	You will liked	You will have liked
They had liked	They will liked	They will have liked

CONDITIONNEL		IMPÉRATIF
Présent	**Passé**	
J'aimerais, etc.	*J'aurais aimé*, etc.	*Que j'aime*, etc.
I should like	I should have liked	Let me like !
You would like	You would have liked	Have !
He, she, it would like	He, she, it would have liked	Let him (her, it) like !
We should like	We should have liked	Let us like !
You would like	You would have liked	Have !
They would like	They would have liked	Let them like !

II. **To like,** *aimer : forme interrogative*

Présent	Prétérit	Present perfect
Est-ce que j'aime ?	*Aimais-je ? etc.*	*Ai-je aimé ?*
Do I like (we, you, they) ?	Did I like ?	Have I (we, you, they) liked ?
Does he like ?	(He, we, you, they)	Has he liked ?

Plus-que-parfait	Futur	Futur antérieur
Avais-je aimé ?	*Amerai-je ?*	*Aurai-je aimé ?*
Had I liked ?	Shall I (we) like ?	Shall I (we) have liked ?
(We, he, you, they)	Will he (you, they) like ?	Will he (you, they) have liked ?

Conditionnel présent	Conditionnel passé
Aimerai-je ?	*Aurais-je aimé ?*
Should I (we) like ?	Should I (we) have liked ?
Would he (you, they) like ?	Would he (you, they) have liked ?

III. Forme négative

Présent	Prétérit	Present perfect
I do not like (we, you, they)	I did not like	I (we, you, they) have not liked
He has not like	(He, we, you, they)	He has not liked

Plus-que-parfait	Futur	Futur antérieur
I had not liked	I (we) shall not like	I (we) shall not have liked
(He, we, you, they)	He (you, they) will not like	He (you they) will not have liked

Conditionnel présent	Conditionnel passé
I (we) should not like	I (we) should not have liked
He (you, they) would not like	He (you, they) would not have liked

IV. Forme interro-négative

Présent	Prétérit	Present perfect
Est-ce que je n'aime pas ?	*N'aimai-je pas ?*	*N'ai-je pas aimé ?*
Don't I like (we, you, they) ?	Didn't like ?	Haven't I (we, you, they) liked ?
Doesn't he like ?	(He, we, you, they)	Hasn't he liked ?

Plus-que-parfait	Futur	Futur antérieur
N'avais-je pas aimé ?	*N'aimerai-je pas ?*	*N'aurai-je pas aimé ?*
Hadn't I liked ?	Shan't I (we) like ?	Shan't I (we) have liked ?
(He, we, you, they)	Won't he (you, they) like ?	Won't he (you, they) have liked ?

Conditionnel présent	Conditionnel passé
N'aimerai-je pas ?	*N'aurais-je pas aimé ?*
Shouldn't I (we) like ?	Shouldn't I (we) have liked ?
Wouldn't he (you, they) like ?	Wouldn't he (you, they) have liked ?

19. Verbe irrégulier to take [téïk], *prendre*

I. Conjugaison : forme affirmative

INFINITIF		PARTICIPE	
Présent	**Passé**	**Présent**	**Passé**
Prendre	*Avoir pris*	*Prenant*	*Pris*
To take	To have taken	Taking	Taken

INDICATIF				
Présent		**Prétérit**	**Present perfect**	
Je prends, etc.		*J'ai pris, je pris, je prenais*, etc.	*J'ai pris*, etc	
I	take	I	took	I	have taken
You	take	You	took	You	have taken
He, she, it	<u>takes</u>	He, she, it	took	He, she, it	<u>has</u> taken
We	take	We	took	We	have taken
You	take	You	took	You	have taken
They	take	They	took	They	have taken

Plus-que-parfait		**Futur**		**Futur antérieur**	
J'avais pris, etc.		Je prendrai, etc.		*J'avais pris*, etc.	
I	had taken	I	shall take	I	shall have taken
You	had taken	You	will take	You	will have taken
He, she, it	had taken	He, she, it	will take	He, she, it	will have taken
We	had taken	We	shall take	We	shall have taken
You	had taken	You	will take	You	will have taken
They	had taken	They	will take	They	will have taken

CONDITIONNEL			IMPÉRATIF
Présent		**Passé**	
Je prendrais, etc.		*J'aurais pris*, etc.	*Que je prenne*, etc.
I	should take	I	should have taken	Let me	take !
You	would take	You	would have taken	Take !	
He, she, it	would take	He, she, it	would have taken	Let him (her, it)	take !
We	should take	We	should have taken	Let us	take !
You	would take	You	would have taken	Take !	
They	would take	They	would have taken	Let them	take !

23

LES VERBES

II. **To take,** *prendre : forme interrogative*

Présent	Prétérit	Present perfect
Est-ce que je prends ?	*Prenais-je ? etc.*	*Ai-je pris ?*
Do I (we, you, they) take ?	Did I take ?	Have I (we, you, they) taken ?
Does he take ?	(He, we, you, they)	Has he taken ?
Plus-que-parfait	**Futur**	**Futur antérieur**
Avais-je pris ?	*Prendrai-je ?*	*Aurai-je pris ?*
Had I taken ?	Shall I (we) take ?	Shall I (we) have taken ?
(We, he, you, they)	Will he (you, they) take ?	Will he (you, they) have taken ?

Conditionnel présent		Conditionnel passé	
Prendrais-je ?		*Aurais-je pris ?*	
Should I (we) take ?		Should I (we) have taken ?	
Would he (you, they) take ?		Would he (you, they) have taken ?	

III. Forme négative

Présent	Prétérit	Present perfect
Je ne prend pas	*Je ne prenais pas*, etc.	*Je n'ai pas pris*
I (we, you, they) do not take	I did not take	I (we, you, they) have not taken
He has not take	(He, we, you, they)	He has not taken
	Plus-que-parfait	**Futur Futur antérieur**
Je n'avais pas pris	*Je ne prendrai pas*	*Je n'aurai pas pris*
I had not taken	I (we) shall not take	I (we) shall not have taken
(He, we, you, they)	He (you, they) will not take	He (you, they) will not have taken

Conditionnel présent		Conditionnel passé	
Je ne prendrais pas		*Je n'aurais pas pris*	
I (we) should not take		I (we) should not have taken	
He (you, they) would not take		He (you, they) would not have taken	

IV. Forme interro-négative

Présent	Prétérit	Present perfect
Est-ce que je ne prends pas ?	*Ne prenais-je pas ?*	*N'ai-je pas pris ?*
Don't I like (we, you, they) ?	Didn't like ?	Haven't I (we, you, they) liked ?
Doesn't he like ?	(He, we, you, they)	Hasn't he liked ?
Plus-que-parfait	**Futur**	**Futur antérieur**
N'avais-je pas pris ?	*Ne prendrai-je pas ?*	*N'aurai-je pas pris ?*
Hadn't I taken ?	Shan't I take ?	Shan't I (we) have taken ?
(He, we, you, they)	Won't he (you, they) like ?	Won't he (you, they) have taken ?

Conditionnel présent		Conditionnel passé	
Ne prendrais-je pas ?		*N'aurais-je pas pris ?*	
Shouldn't I (we) take ?		Shouldn't I (we) have taken ?	
Wouldn't he (you, they) take ?		Wouldn't he (you, they) have taken ?	

1. Le prétérit

• Ce temps est utilisé pour décrire une action <u>terminée</u>, <u>datée</u> ou <u>précisée dans le passé</u>.

• Il sera automatiquement employé chaque fois que l'on pourra répondre à la question *quand ?* et donc avec **ago** (➡ n° 3, p. 26).

> **I met him on the 15th of January.**
> *Je l'ai rencontré le 15 janvier.*
> **When did you get up ? I got up at 7.**
> *Quand vous êtes-vous levé ? Je me suis levé à 7 h.*

• Attention : le prétérit peut correspondre au passé simple ou à l'imparfait français ; mais le <u>plus souvent au passé composé français</u>. Le prétérit progressif correspond à l'imparfait (➡ n° 8, p. 28).

2. Le *Present perfect*

Il a des emplois très différents du passé composé français.

• Rappel : il se forme avec **to have** + <u>participe passé.</u>

On le rencontre souvent à la forme progressive qui se forme avec :

have	} + **been** + participe présent
has (3ᵉ pers. sing.)	

> **We have been waiting for you.**
> *Nous vous avons attendu.*

■ Il traduit des **actions du passé :**

• qui n'ont pas de date définie

> **He has been to Canada,**   *Il est allé au Canada.*
> **Have you read Richard III ?**   *Avez-vous lu* Richard III ?

• dont on considère avant tout le résultat présent

> **They have bought a house,**   *ils ont acheté une maison.*
> **I have finished my work,**   *j'ai fini mon travail.*

• mais pour traduire : *J'ai terminé mon travail hier,*
on utilisera le prétérit : **I finished my work yesterday.**

■ Il traduit **une action commencée dans le passé et se poursuivant dans le présent.**

Il correspond alors à un présent français et s'emploie avec *depuis, cela fait… que*, etc.

I have worked in this factory for three years.
Je travaille dans cette usine depuis trois ans.
He has worked in this office since 1998.
Il travaille dans ce bureau depuis 1998.

➡ Remarque :
– *depuis* indiquant la <u>durée de l'action</u> est traduit par **for,**
– *depuis* indiquant le <u>point de départ</u> de l'action (une date par exemple) est traduit par **since.**

➡ Comparer :

I have been waiting for two hours.
J'attends depuis deux heures (il y a deux heures que...)

et

I have been waiting since 2 o'clock.
J'attends depuis 2 h (à l'horloge).

La forme progressive du **present perfect** met l'accent sur la durée.

3. Traduction de *il y a*

■ *Il y a*, indiquant une action terminée, est traduit par **ago** placé après l'unité de temps envisagée. Le verbe de la phrase est toujours au prétérit :

I visited Scotland three years ago.
J'ai visité l'Écosse il y a trois ans.

■ *Il y a... que* = *depuis, cela fait... que,* est traduit par **for,** avec le **present perfect** car l'action dure encore (➡ n° 2, p. 25) :

I have worked here for six months.
Je travaille ici depuis six mois.
Il y a (cela fait) six mois que je travaille ici.

• Attention : ne confondez pas ce qui précède avec :
il y a = cela fait (pour les distances) : **it is.**

Combien y a-t-il d'ici à la prochaine station-service ?
How far is it to the next service station ?

il y a = *il se trouve* : **there is** + sing., **there are** + plur.

There is a man at the door.
Il y a un homme à la porte.
There are many cars on the road.
Il y a beaucoup de voitures sur la route.

4. Emploi particulier du prétérit

En dehors de l'expression du passé, vue au n° 1, p. 25, le prétérit peut avoir un sens conditionnel ou subjonctif (on l'appelle alors prétérit « modal »).

Avec **to be,** on emploiera alors la forme du pluriel **were** à toutes les personnes (mais dans la conversation, **was** est employé aux 1ʳᵉ et 3ᵉ personnes du singulier).

■ *Valeur conditionnelle :* après **if,** *si,* **as if, as though,** *comme si,* pour exprimer une action imaginaire, le verbe de la proposition subordonnée est au prétérit (en français à l'imparfait) et celui de la principale au conditionnel.

> **If I had a plane I would fly to Mexico.**
> *Si j'avais un avion j'irais à Mexico en avion.*
> **He drinks as if he were thirsty.**
> *Il boit comme s'il avait soif.*
> **If I were younger I would try.**
> *Si j'étais plus jeune j'essaierais.*

■ *Valeur subjonctive :* après **to wish,** *souhaiter* (souhait non réalisé), **it's high time,** *il est grand temps,* **I'd rather,** *je préférerais.*

> **I wish he were still alive.**
> *Je voudrais qu'il fût encore en vie.*
> **It's high time we left.**
> *Il est grand temps que nous partions.*
> **I'd rather she didn't come.**
> *Je préférerais qu'elle ne vienne pas.*

5. Emploi des temps dans les subordonnées

En anglais les conjonctions de temps **when,** *quand,* **as soon as,** *dès que,* **once,** *une fois que,* **whenever,** *chaque fois que,* etc., introduisent des propositions subordonnées de temps où le verbe se met à un temps différent du français.

a) le présent en anglais remplace le futur, en français.

> **We'll leave when you are ready.**
> *Nous partirons quand vous serez prêts.*

b) le **present perfect** remplace le futur antérieur.

> **He will join us when he has finished.**
> *Il nous rejoindra quand il aura fini.*

c) le prétérit remplace le conditionnel présent.

> **He told me he would phone when he arrived.**
> *Il m'a dit qu'il téléphonerait quand il arriverait.*

d) le plus-que-parfait remplace le conditionnel passé.

> **He hoped he could come when he had finished.**
> *Il espérait qu'il pourrait venir quand il aurait fini.*

• Attention : ne confondez pas la conjonction **when,** *quand,* avec l'interrogatif **when** signifiant *à quel moment,* et qui sera suivi du futur ou du conditionnel comme en français.

> **Could you tell us when you will be back ?**
> *Pourriez-vous nous dire quand vous serez de retour ?*

6. Traduction de *je viens de, je venais de*

■ *Je viens de…* : **I have** + **just** + participe passé.

> **He has just left us,** *il vient de nous quitter.*
> **I have just begun,** *je viens de commencer.*

■ *Je venais de…* : **I had** + **just** + participe passé.

> **We had just finished our work.**
> *Nous venions de finir notre travail.*

7. Traduction de *je vais* + verbe, *je suis sur le point ; je dois*

■ **To be going to,** *aller ;* **to be about to,** *être sur le point de.*

> **We are going to have our breakfast.**
> *Nous allons prendre notre petit déjeuner.*
> **He is about to leave for Canada.**
> *Il est sur le point de partir au Canada.*

• Remarque : la simple forme progressive traduit souvent un futur proche.

> **I'm seeing him tomorrow.**
> *Je vais le voir demain.*

■ **To be to,** *devoir,* marque avec une nuance future (au présent ou au prétérit) :

• le <u>devoir</u>, l'<u>engagement</u> ou l'<u>accord préalable</u>.

> **I am to see him tomorrow.**
> *Je dois le voir demain.*

• <u>la constatation d'un fait passé</u>.

> **The bombing was to begin on September 3.**
> *Le bombardement devait commencer le 3 septembre.*

8. Traductions de l'imparfait français

■ Quand l'imparfait décrit une action qui durait dans le passé, il sera bien souvent rendu par le prétérit à la forme progressive :

> *Il marchait dans la rue quand l'orage éclata.*
> **He was walking in the street when the storm broke out.**

■ Quand l'imparfait décrit une action qui se répète, on le traduit souvent par la forme fréquentative (➡ n° 12, p. 32).

Quand il était au bord de la mer, il nageait tous les jours.
He used to swim every day when he was at the seaside.

9. Traductions du subjonctif français

L'anglais n'utilise son subjonctif simple que dans un nombre limité de cas (➡ n° 9, p. 10) et ce qui en français est au subjonctif (actions considérées sous l'angle de la volonté, de l'imagination, et des sentiments de doute, crainte, regret, souhait) sera rendu en anglais par diverses constructions.

1. – Par l'indicatif :

• après la plupart des conjonctions qui en français demandent le subjonctif : **before,** *avant que,* **though,** *bien que,* **unless,** *à moins que,* **until,** *jusqu'à ce que,* etc…

I'll come though I can't say when.
Je viendrai bien que je ne puisse dire quand.
Tell us the truth before it is too late.
Dites-nous la vérité avant qu'il ne soit trop tard.

• après **that** relatif :

These shoes are the only ones that fit me.
Ces chaussures sont les seules qui m'aillent.

2. – Par une proposition infinitive (➡ n° 18, p. 39) après des verbes exprimant la volonté **(to want),** l'attente **(to expect) :**

verbe + complément + infinitif.
I want you to come with us.
Je veux que vous veniez avec nous.
They expect us to help them.
Ils s'attendent à ce que nous les aidions.

3. – Par un prétérit (➡ n° 4, p. 26) après **it's high time,** *il est grand temps ;* **to wish,** *souhaiter* (souhait non réalisé) ; **I had rather,** *je préférerais.*

4. – Par le nom verbal (➡ n° 17, p. 37) précédé de l'adjectif possessif :

Do you mind my smoking a cigar ?
Voyez-vous un inconvénient à ce que je fume un cigare ?

5. – Par un impératif avec to let (➡ n° 10, p. 11) :

Let him go if he wants to ! *qu'il parte s'il le veut.*
Let ABC be any angle, *soit ABC un angle quelconque.*

6. – **Par le subjonctif avec *should*** (➡ n° 9, p. 10) :

• pour exprimer un <u>ordre</u>, une <u>suggestion</u>, une <u>recommandation</u>.

> **He ordered that the estate should be sold.**
> *Il ordonna que la propriété fût vendue.*
> **He suggested we should have something to drink.**
> *Il suggéra que nous prenions quelque chose à boire.*

• pour exprimer la <u>crainte</u> après **for fear that, lest,** *de peur que.*

> **I did not call on them for fear they should be surprised.**
> *Je ne suis pas passé les voir de peur qu'ils soient surpris.*

• après **so that,** de telle sorte que, pour que.

> **I was wearing a red tie so that he should recognize me.**
> *Je portais une cravate rouge pour qu'il me reconnaisse.*

• pour exprimer la <u>surprise</u>.

> **I am amazed he should be so lazy.**
> *Je suis stupéfait qu'il puisse être si paresseux.*

7. – **Par une construction avec *may* :**

• pour exprimer <u>le but</u>, <u>l'intention</u>.

> **He will lend me his car so that I may try it.**
> *Il va me prêter sa voiture pour que je l'essaie (puisse l'essayer).*

• pour exprimer <u>l'éventualité</u>.

> **Do you think he may be late ?**
> *Pensez-vous qu'il puisse être en retard ?*

8. – **Par le « subjonctif simple » dans les locutions toutes faites** (➡ n° 9, p. 10) :

> **God bless you !** *Que Dieu vous bénisse !*

10. Voix passive

Elle indique que <u>l'action est subie</u> par le sujet de la phrase.

1. – Formation :

• voix passive simple : **to be** + <u>participe passé.</u>

> **The factory is visited by many people.**
> *Cette usine est visitée par de nombreuses personnes.*

Le complément d'agent est introduit par la préposition **by.**

• voix passive à la forme progressive : **to be** + **being** + <u>participe passé.</u>

The car is being washed.
On est en train de laver la voiture.
(m. à m. : *La voiture est en train d'être lavée*).

2. – **Emploi :**

a) elle exprime une action subie.

He has been caught by the police.
Il a été pris par les policiers.

b) elle correspond à la voix pronominale réfléchie française (➡ n° 3, p. 56).

The hills cold be seen from my window.
Les collines se voyaient de ma fenêtre.

c) elle traduit *on* (➡ plus bas, n° 11).

3. – **Le « double passif » :**

• A partir d'une phrase comme **Bob gave Jean a book,** *Bob a donné un livre à Jeanne,* on peut faire de chacun des deux compléments le sujet d'une voix passive :

A book was given to Jean (by Bob).

Jean was given a book (by Bob) : tournure la plus fréquente.

• Ainsi d'une seule voix active **(Bob gave Jean a book),** on a tiré en anglais deux voix passives, contre une seule en français (*un livre a été offert à Jeanne par Bob*).

4. – **Complément introduit par une préposition :**

En anglais un complément introduit par une préposition peut devenir sujet d'une voix passive ; la préposition reste après le verbe.

voix active	voix passive
They sent for me	**I was sent for**
Ils m'envoyèrent chercher	*On m'a fait venir.*
We shall look after it	**It will be looked after**
Nous nous en occuperons	*On s'en occupera.*

11. **Traductions de** *on*

■ **par la voix passive,** surtout avec des verbes comme **to tell,** *dire ;* **to ask,** *demander ;* **to give,** *donner ;* **to send,** *envoyer ;* **to show,** *montrer ;* **to forgive,** *pardonner.*

On m'a demandé mon nom, **I was asked my name.**

Cette voix passive découle directement de la voix active, **they asked me my name,** *ils m'ont demandé mon nom* (➡ plus haut n° 10), **me,** en devenant sujet, prend la forme **I.**

On lui dira d'attendre,	**He will be told to wait.**
On l'écoute,	**He is (being) listened to.**

Pensez aux voix actives **they will tell him to wait,** *ils lui diront d'attendre ;* et **they listen to him,** *ils l'écoutent.*

■ *on dit que..., on raconte que...* : **it is said that.**

> *On dit que les Parker ne viendront pas ce soir.*
> **It is said the Parkers won't come tonight.**

➡ Attention : ne confondez pas avec *on me dit que,* **I am told...**

■ *on* = *les gens, ils, nous...* : **people, they, we** (à condition dans ce dernier cas que la personne qui parle participe à l'action).

> *On aime parier en Angleterre.*
> **People** (ou **they**) **like betting in England.**
> *On aime la bonne cuisine en France.*
> **We like good cooking in France.**

■ traduit par *one* dans les phrases de caractère sentencieux.

> *On ne peut pas toujours avoir raison.*
> **One cannot always be right.**

12. Formes fréquentatives

Expriment une <u>habitude</u>, la <u>répétition</u> ou la <u>fréquence</u> d'une action.

■ **Au présent,** l'auxiliaire **will** + infinitif sans **to** peut indiquer :

a. – Que certains faits se répètent toujours :

> **Accidents will happen,** *les accidents se produisent.*

b. – Que certains faits ont des chances de se répéter :

> **At times he will feel depressed,** *parfois il est déprimé.*

■ **Au passé :**

a. – **Used to** [ious tou] + infinitif sans **to** exprime :

<u>la fréquence :</u>

> **I used to swim everyday when I was at the seaside.**
> *Je nageais tous les jours quand j'étais à la mer.*

<u>l'opposition avec le présent :</u>

> **There used to be a house here before the war.**
> *Il y avait une maison ici avant la guerre.*

b. – **Would** + infinitif sans **to** : emploi restreint à la répétition occasionnelle d'une action :

He used to go to his office by tube but on fine days he would take a bus, *Il allait à son bureau en métro mais par beau temps il prenait l'autobus.*

• C'est l'imparfait français qui traduit la forme fréquentative. Aux formes négatives et interrogatives la construction **did he use ?, he did not use** est plus familière que la construction **used he ?, he used not.**

• Attention : ne pas confondre **used to** avec **to be used to,** *être habitué à* ; (➡ n° 17.2, p. 38).

13. Formes d'insistance

■ Pour exprimer l'idée d'insistance dans une phrase affirmative, on peut employer l'auxiliaire **do** + infinitif sans **to** (**does** à la 3ᵉ personne du singulier et **did** au prétérit).

> **I do believe you,** *je vous assure que je vous crois.*
> **She did come,** *elle est vraiment venue.*

• **Remarque :** oralement ce **do** est alors fortement accentué. Avec **to be** et les défectifs on se contentera de les écrire en caractères différents : **he *is* late ; you *must* see that play** = *il faut absolument que vous voyiez cette pièce.*

■ **Shall** et **will** : un résultat semblable est obtenu au futur en intervertissant **shall** et **will.**

> **We will do it,** *nous le ferons* (ferme résolution).
> **You shall obey,** *tu obéiras* (c'est un ordre).

14. Verbes défectifs ou modaux

Ce sont d'abord : **I can**   *je peux, je suis capable de…*
                    I may   *je peux* (autorisation et éventualité).
                    I must *je dois, il faut que je…*

Ils sont appelés ainsi parce que certains temps et certaines formes leur font défaut.

■ Pas d'infinitif : c'est pourquoi on les emploie toujours avec un sujet. Ils n'auront donc pas de temps ou de mode formés avec l'infinitif c'est-à-dire ni futur avec **shall** et **will** ni conditionnel avec **should** et **would.**

■ Pas de participe passé : donc pas de **present perfect** (passé composé) pas de plus-que-parfait, pas de voix passive.

■ Pas de participe présent : donc pas de forme progressive et pas de nom verbal.

■ Aux formes qui leur manquent, ils sont remplacés par des équivalents.

1. – Conjugaison :

• Pas d's à la 3ᵉ personne du singulier du présent.

• A la forme interrogative on inverse simplement l'ordre sujet-verbe comme pour l'auxiliaire **to be.**

• Aux formes négatives et interro-négatives on ajoute **not.**

• **Can** et **may** ont un passé (prétérit) qui leur sert également de conditionnel.

	Affirmation	Interrogation	Négation
		CAN	
Présent	I can	can I ?	I cannot
	You can	can you ?	You cannot
	He, she, it can	can he, etc. ?	He, etc. cannot
	We can	can we ?	We cannot
	They can	can they ?	They cannot
Prétérit ou Conditionnel	I could etc.	could I ? etc.	I could not etc.
		MAY	
	I may	may I ?	I may not
	You may	may you ?	You may not
	He, she, it may	may he, etc. ?	He, etc. may not
	We may	may we ?	We may not
	They may	may they ?	They may not
Prétérit ou Conditionnel	I might etc.	might etc.	I ? I might not etc.
		MUST	
Présent	I must	must I ?	I must not
	You must	must you ?	You must not
	He, she, it must	must he, etc. ?	He, etc. must not
	We must	must we ?	We must not
	They must	must they ?	They must not

2. – Construction :

Ils sont toujours suivis de l'infinitif sans **to**.

> **I cannot come,** *je ne peux pas venir.*
> **He must go,** *il doit partir* (ou *il faut qu'il parte*).

3. – Sens :

■ **I can** : je peux, exprime une possibilité qui dépend du sujet ; traduit aussi par *savoir*.

> **He can drive,** *il peut conduire (il sait conduire).*

• Attention : à la forme négative on écrit en un seul mot **cannot** (contraction **can't**).

• **could,** prétérit, peut être conditionnel présent et signifier *je pourrais*.

➡ Équivalent : **to be able to** [eïbel tou].

■ **I may** : exprime une possibilité ne dépendant pas du sujet et possède deux sens.

a) dépend d'une autorisation = *je peux, je suis autorisé à.*

> **You may come,** *vous pouvez venir (vous êtes autorisé à venir).*

➡ Équivalent : **to be allowed to** [elaoud tou].

b) dépend du hasard = *je peux* = *il se peut que je.*

> **It may rain,** *il peut pleuvoir (il se peut qu'il pleuve).*
> **It may be true,** *il se peut que ce soit vrai.*

Pas d'équivalent.

• Remarque : **I might** [maït] prétérit, *je pouvais* ou *il se pouvait que*, peut aussi être conditionnel présent et signifier : *je pourrais.*

■ **I must** : *je dois, il faut que je*, exprime l'obligation.

Attention : **I must** peut avoir un sens prétérit mais rarement.

> **must not** est contracté en **mustn't** [mœsent].

Équivalent : **to have to.**

4. – Autres défectifs :

I ought to [o:t tou] **I should** [choud] : *je dois, je devrais.*

> **You ought to**   }   **respect your parents.**
> **You should**
> *Vous devez (vous devriez) respecter vos parents.*

• Attention : **I need,** *j'ai besoin de,* et **I dare** [dèeʳ] *j'ose,* sont parfois défectifs, surtout dans les phrases négatives.

> **He dare not do it,** *il n'ose pas le faire.*
> **You need not hurry,** *vous n'avez pas besoin de vous presser.*

Mais ils existent aussi sous la forme **to need, to dare.**

5. – Temps composé des défectifs.

L'absence d'un participe passé empêche les constructions du genre *j'ai pu, il aurait dû,* etc. On les remplace par la construction suivante :

> défectif + **have** + participe passé du verbe

He may	**have come** :	*il a pu venir* (il se peut qu'il soit venu).
He might	**have come** :	*il aurait pu venir* (éventualité).
He must	**have come** :	*il a dû venir* (quasi certitude).
He should	**have come** :	} *il aurait dû venir* (obligation morale).
He ought to	**have come** :	
He could	**have come** :	*il aurait pu venir* (possibilité).

15. Réponses par auxiliaires

■ – *Oui, non* :

Au lieu de répondre uniquement **yes** ou **no** à une question, on reprend en anglais l'auxiliaire utilisé dans la question :

> **Are you hungry ? – Yes, I am.**
> *Avez-vous faim ? – Oui.*
> **Will you marry Jim Shortall ? – I will.**
> *Voulez-vous épouser Jim Shortall ? – Oui.*
> **Does he come with us ? – Yes, he does.**
> *Est-ce qu'il vient avec nous ? – Oui.*
> **Do you like smoking ? – No, I don't.**
> *Aimez-vous fumer ? – Non.*

■ – *Vraiment ?* :

Pour marquer la surprise on peut reprendre à la forme interrogative l'auxiliaire employé par l'interlocuteur. (S'il n'y a pas d'auxiliaire dans la proposition principale on utilise **to do** au temps et à la forme voulus).

> **We have won at the races. – Have you ?**
> *Nous avons gagné aux courses. – Vraiment ?*
> **He met the Queen yesterday. – Did he ?**
> *Il a rencontré la Reine hier. – Vraiment ?*
> **They haven't found it ! – Haven't they ?**
> *Ils ne l'ont pas trouvé ! – Vraiment ?*

■ – *Moi aussi,* etc. : **so** + auxiliaire + sujet :

> **I visited Rome ; – so did we,** *j'ai visité Rome ; – nous aussi.*
> **She likes cherries ; – so do I,** *elle aime les cerises ; – moi aussi.*

■ *Moi non plus,* etc. **neither** + auxiliaire + sujet :

John does not like soup ; – neither do I.
Jean n'aime pas la soupe ; – moi non plus.

16. *N'est-ce pas ?*

Cette fin de phrase interro-négative ne varie jamais en français et ne dépend ni du temps ni du sujet de la phrase ; on dit :

Vous venez, n'est-ce pas ?
Elle ne viendra pas, n'est-ce pas ?

• En anglais deux cas :

1. – La phrase est affirmative : on reprend l'auxiliaire à la forme interro-négative au temps et à la personne voulus :

You are working, aren't you ?
Vous travaillez, n'est-ce pas ?

S'il n'y a pas d'auxiliaire, on utilise **to do** à la forme interro-négative, au temps et à la personne voulus.

They know him, don't they ?
Ils le connaissent, n'est-ce pas ?

2. – La phrase est négative : on reprend l'auxiliaire à la forme interrogative, sans négation, au temps et à la personne voulus :

You're not French, are you ?
Vous n'êtes pas français, n'est-ce pas ?
We haven't seen him, have we ?
Nous ne l'avons pas vu, n'est-ce pas ?
You won't see her, will you ?
Vous ne la verrez pas, n'est-ce pas ?
Jim and Betty can't come tonight, can they ?
Jim et Betty ne peuvent venir ce soir, n'est-ce pas ?

• Remarque : on ne reprend jamais le nom que l'on remplace par le pronom correspondant.

17. Le nom verbal (ou gérondif)

1. – Formation :

• Pour exprimer le « *fait de faire* », on peut utiliser en anglais une construction dite <u>nom verbal</u> ou <u>gérondif</u>, obtenue en ajoutant **-ing** à la fin d'un verbe à l'infinitif sans **to,** comme pour le participe présent (dont la fonction est différente).

• On peut rapprocher le <u>nom verbal</u> de l'<u>infinitif substantivé</u> français : *Boire est agréable,* **drinking is pleasant.**

➡ On appelle cette forme <u>nom verbal</u> car elle peut jouer le rôle :

d'un <u>nom</u>	**does my coming bother you ?**
ou	*est-ce que ma venue vous dérange ?*
d'un <u>verbe</u>	**he enjoys drinking Guinness.**
	il prend plaisir à boire de la Guinness.

2. – Emploi :

■ après toutes les prépositions :

Before leaving, *avant de partir.*
On entering, *en entrant.*

• Attention : dans **to be used to,** *être habitué à* ; **to get used to,** *s'habituer à* ; **to look forward to,** *se faire une joie de,* **to** est préposition et donc suivi du nom verbal :

I am used to it, *j'y suis habitué.*
I am used to doing it, *je suis habitué à le faire.*

■ après des expressions telles que : **to go on,** *continuer* ; **to feel like,** *avoir envie de* ; **it's no use,** *cela ne sert à rien de* ; **to be worth,** *valoir la peine de* ; **I can't help,** *je ne peux m'empêcher de* ; **to be busy,** *être occupé à.*

■ après des verbes tels que : **to avoid,** *éviter de* ; **to enjoy,** *jouir de, profiter de* ; **to hate,** *détester* ; **to mind,** *voir un inconvénient à* ; **to resent,** *être irrité de* :

I avoid driving on Sundays.
J'évite de conduire le dimanche.
Do you mind my smoking ?
Voyez-vous un inconvénient à ce que je fume ?

■ souvent après des verbes exprimant le <u>début</u>, la <u>continuation</u> et l'<u>arrêt</u> : **to begin,** *commencer* ; **to start,** *démarrer* ; **to continue,** *continuer* ; **to stop,** *arrêter* ; etc.

She began working, *elle commença à travailler.*
He stopped talking, *il s'arrêta de parler.*

➡ Attention : **he stopped to talk,** *il s'arrêta pour parler* (voir Annexe p. 77).

■ souvent après **to like,** *aimer,* et **to love,** *aimer.*

3. – Différence avec le participe présent :

• Dans **a smiling girl,** *une jeune fille souriante* ; **look at John writing a letter,** *regarde Jean écrire (qui écrit) une lettre* ; **smiling** et **writing** sont des participes présents qui se rapportent à **girl** et à **John.**

• Mais dans **smiling was not easy,** *ce n'était pas facile de sourire* ; **I was surprised at John writing a letter,** *j'ai été surpris que Jean écrive une lettre* ; **smiling** et **writing** signifient <u>le fait de sourire</u>, <u>le fait d'écrire</u>, et sont des noms verbaux.

➡ Attention : **a working man,** *un travailleur* = **a man who works** (part. présent) ; mais **working clothes,** *vêtements de travail* = **clothes for working** (nom verbal).

18. Proposition infinitive

> **He wants me to go,** il veut que je parte.

L'anglais peut utiliser l'infinitif dans une proposition subordonnée là où le français utilise le subjonctif (➡ n° 9.2, p. 29). On appelle cette construction « proposition infinitive » et on la rencontre après des verbes exprimant la volonté (**to want,** *vouloir*), le désir (**to wish,** *souhaiter* ; **to like,** *aimer*) ; l'ordre (**to order,** *ordonner*) ; l'attente (**to expect,** *s'attendre à*).

Le verbe à l'infinitif possède alors un sujet (également complément du verbe qui précède) ; quand c'est un pronom personnel on utilise sa forme complément.

I want him to come.
Je veux qu'il vienne. (m. à m. : je veux lui venir).
Would you like me to help you ?
Voudriez-vous que je vous aide ?
We expect them to arrive tonight.
Nous nous attendons à ce qu'ils viennent ce soir.

• Remarque : cette construction peut traduire le français *pour que* : **for** + complément sujet d'un verbe à l'infinitif.

It is too late for us to come.
Il est trop tard pour que nous venions.

19. Verbes + infinitif sans *to*

Certains verbes et catégories de verbes sont suivies de l'infinitif sans **to.**

■ Les verbes de perception : **to see,** *voir* ; **to hear,** *entendre* ; **to notice,** *remarquer* ; etc.

We hear him sing everyday.
Nous l'entendons chanter tous les jours.

• Remarque : ces verbes peuvent être suivis du participe présent qui insiste sur le caractère présent de l'action :

Do you see Michael running ?
Voyez-vous Michel courir (en train de courir) ?

■ Après **to make, to have** (➡ n° 20).

■ Après **to let** *(laisser, permettre).*

He won't let us go, *il ne nous laissera pas sortir.*

■ Après les défectifs (➡ n° 14, p. 33).

■ Après les expressions **I had** (ou **would**) **rather,** *je préférerais* ; **I had better,** *je ferais mieux de.*

He had rather play, *il préférerait jouer.*

He had better work, *il ferait mieux de travailler.*

20. *Faire* + Infinitif

■ *Je le ferai travailler* : *faire* + infinitif actif.

> **to make** (ou **to have**) + complément sujet de l'action
> + infinitif sans **to.**

I'll make him work.

I'll have him work.

■ *Je fais réparer mon auto* : *faire* + infinitif à sens passif (en effet la voiture va être réparée par quelqu'un).

> **to have** + complément subissant l'action + participe passé.

I have my car repaired, *je fais réparer mon auto.*

• Note

To get + nom + participe passé : indique que le sujet veille à la réalisation de l'action. Ex. :

I'll get the job done

Je ferai faire le travail (je veillerai à ce qu'il soit fait).

• Remarque

Certains verbes traduisent à eux seuls *faire* + infinitif

to bake	*faire cuire* (au four)	**to grow**	*faire pousser*
to boil	*faire bouillir*	**to charge**	*faire payer*
to cook	*faire cuire*		

LE NOM

1. Trois genres

masculin : **man,** *homme* ; **boy,** *garçon* ; **uncle,** *oncle.*
féminin : **woman,** *femme* ; **girl,** *fille* ; **aunt,** *tante.*
neutre (objets, animaux) : **car,** *voiture* ; **rabbit,** *lapin.*

2. Formation du pluriel

■ généralement en **-s** (que l'on prononce [s] ou [z]) :
    caps [kaps] *des casquettes,* **cars** [karz] *des voitures.*

■ en **-es** pour certains mots terminés en :

-s, sh, ch, x, z :	a bus	buses	[bœsiz]	*autobus*
	a brush	brushes	[brœchiz]	*brosses*
	a watch	watches	[wotchiz]	*montres*
	a box	boxes	[boxiz]	*boîtes*

   -o : a tomato, *tomate,* **tomatoes** ; a potato, **potatoes,**
pomme(s) de terre ; mais : **pianos, photos.**

■ **-ies,** pour les noms terminés par **-y** précédé d'une consonne.
lady, ladies ; **body, bodies** (corps) ; mais : **boys, days…**

■ en **-ves,** pour les noms terminés en **f** ou **fe** :

un veau	**a calf**	**calves**	*une étagère*	**a shelf**	**shelves**
une moitié	**a half**	**halves**	*un voleur*	**a thief**	**thieves**
un couteau	**a knife**	**knives**	*une épouse*	**a wife**	**wives**
une feuille	**a leaf**	**leaves**	*un loup*	**a wolf**	**wolves**
une miche	**a loaf**	**loaves**	*une vie*	**a life**	**lives**

mais **roof** *(toit),* **roofs** ; **chief** *(chef),* **chiefs** ; **safe** *(coffre-fort),* **safes.**

■ pluriels irréguliers :

a man	*homme*	men	die	*dé*	dice
a woman	*femme*	women	mouse	*souris*	mice
a gentleman		gentlemen	louse	*pou*	lice
an ox	*bœuf*	oxen	goose	*oie*	geese
a child	*enfant*	children	tooth	*dent*	teeth
a foot	*pied*	feet			

penny, pence (désigne la valeur).
       pennies (désigne les pièces).

■ <u>mots invariables ne prenant jamais le *-s :*</u>

one sheep, *un mouton ;* **two sheep ; one aircraft,** *avion ;* **two aircraft.**

one salmon, *un saumon ;* **two salmon ; one trout,** *truite ;* **two trout.**

one deer, *un cerf ;* **two deer ; fish et fruit,** souvent invariables.

■ <u>noms invariables prenant toujours le *-s :*</u>

one barracks, *caserne,* **two barracks.**

one means, *moyen,* **several means.**

Noms de sciences en **-ics : genetics, physics**, etc.

3. Mots toujours employés au pluriel

braces	*bretelles*	**premises**	*local, lieux*
customs	*douane*	**scales**	*balance*
goods	*marchandises*	**scissors**	*ciseaux*
grapes	*raisin*	**shorts**	*culotte courte*
pants	*caleçon*	**trousers**	*pantalon*

4. Mots jamais au pluriel

(mais traduits par un pluriel français).

Information, intelligence *renseignements,* **advice** *conseils,* **furniture** *meubles,* **luggage** *bagages,* **news** *nouvelles,* sont des mots singuliers. Comme ils ont déjà un sens collectif, on ne les met jamais au pluriel.

• Note : pour traduire le mot singulier français on utilise " **a piece of** " : *un meuble,* **a piece of furniture.**

Attention : **the hair,** *les cheveux* mais **the hairs,** *les poils.*

5. Mots suivis d'un verbe au singulier ou au pluriel

government, family, police, cattle *(bétail),* etc.

6. People : les gens.

Mot pluriel toujours suivi d'un verbe au pluriel : **many people were…** *de nombreuses personnes étaient…* Il n'existe pas de singulier.

➡ Ne confondez pas avec **people,** *peuple,* qui fait : **a people,** *un peuple,* **many peoples** *de nombreux peuples.*

7. Pluriel des noms propres

Ils prennent un **-s.**

Je suis invité par les Wilson, **I am invited by the Wilsons.**

8. Cas possessif : *my friend's car*

Le complément de nom, au lieu d'être introduit par la préposition **of,** par exemple : **the car of my friend,** *la voiture de mon ami,* peut se rendre par une construction appelée <u>cas possessif</u>.

1. **Formation :** le nom du possesseur se place devant le nom possédé qui **perd son article :**

• si <u>le nom possesseur est singulier</u>, il est suivi de **'s.**

> **my friend's car,** (the car of my friend).
> **the baker's wife,** (the wife of the baker).

• si <u>le possesseur est un pluriel non terminé par s</u>, il est suivi de **'s.**

> **Look at these gentlemen's hats,**
> *Regardez les chapeaux de ces messieurs.*

• si <u>le possesseur est un pluriel terminé par s,</u> il est suivi de l'apostrophe seule :

> **Here are my sons' friends,**
> *Voici les amis de mes fils.*

• si <u>le possesseur est un nom propre anglais</u> terminé par **-s** ou **-ce,** il est suivi de **s** (et il y a une syllabe de plus dans la prononciation) :

> **Charles's new car** [tcharlsiz], *la nouvelle voiture de Charles.*

• si <u>le possesseur est un nom propre étranger</u> terminé par **s,** il est suivi de l'apostrophe seule :

> **Cassius' victory,** *La victoire de Cassius.*

2. **– Emploi :** réservé en principe aux êtres animés, on le rencontre aussi :

• avec les mesures de distances ou de durée :

a two miles' race *une course de deux miles,* **a three hours' wait,** *une attente de trois heures.* (Mais aussi : **a two-mile race**).

• les indications de date : **yesterday's newspaper,** *le journal d'hier.*

• parfois de lieu : **the city's walls,** *les murs de la cité.*

• quand il y a personnification ; **the wind's voice,** *la voix du vent.*

43

• dans des <u>expressions toutes faites</u> : **for justice's sake,** *dans l'intérêt de la justice,* **art for art's sake,** *l'art pour l'art,* **All Fools' Day,** *le 1er Avril,* **All Saints' Day,** *la Toussaint,* **All Souls' Day,** *le jour des Morts.*

Remarque : on sous-entend parfois le nom possédé s'il est exprimé ailleurs, avant ou après dans la même phrase :

My car is not so big as Michael's (car),
Ma voiture n'est pas aussi grande que celle de Michel.

3. **Traduction de *chez* :** on utilise le cas possessif.

He is at his uncle's (house), *il est chez son oncle.*
She goes to the butcher's (shop), *elle va chez le boucher.*

Remarquez que **house, home, shop, church,** sont souvent sous-entendus.

9. Noms composés

Un nom peut être formé de 2 éléments ; on l'appelle <u>nom composé</u> : en général en anglais le 1er terme qualifie le 2e.
(On traduira d'abord le 2e terme en français).

A tooth-brush, *une brosse à dents.*

Le premier élément peut être :
<u>un nom</u> (jouant le rôle d'adjectif) : **bedroom…**
ou un <u>gérondif</u> (ou nom verbal) : **dining-room.**
• Attention :

a beer bottle ≠ a bottle of beer,
une bouteille à bière ≠ une bouteille de bière.

10. Formation de noms à partir d'adjectifs

On peut souvent former un nom en ajoutant le suffixe **-ness** à l'adjectif.

sad	*triste*	**sadness**	*tristesse*
kind	*bon*	**kindness**	*bonté*
sick	*malade*	**sickness**	*maladie*
black	*noir*	**blackness**	*noirceur etc.*

44

LES ARTICLES

1. Article indéfini

➡ Invariable en genre : (c'est le même pour le masc., fém., neutre) :
- au singulier : **a** [e] devant
  - consonne : **a man, a car.**
  - le son [iou] : **a union,** [iounien].

  an devant
  - voyelle : **an inn, an animal.**
  - h« muet » : **an hour,** [aouer]
- au pluriel : n'existe pas : *des voitures,* **cars.**

2. Emploi

a) Devant tout nom concret indéterminé :

A house, *une maison.*

b) Devant un nom concret attribut :

His brother is a mechanic, *son frère est mécanicien.*

c) Devant un nom en apposition :

His father, an engineer at the IBM Company…
Son père, ingénieur à la compagnie IBM…

d) Devant un nom concret introduit par une préposition :

You should not eat without a fork.
Vous ne devriez pas manger sans fourchette.

e) Traduit : *dans, par, à,* dans certaines expressions :

He earns £ 800 (pounds) a month, *il gagne 800 livres par mois.*
I meet him twice a week, *je le rencontre 2 fois par semaine.*
100 miles an hour, *100 miles à l'heure.*

f) Après **what, such, half, quite, rather** :

I have never read such an interesting novel.
Je n'ai jamais lu de roman si intéressant.
What a beautiful woman she is ! *Quelle belle femme !*
Half an hour, *une demi-heure.*

g) Entre l'adjectif et le nom quand le premier est précédé de **so, how, as, too** :

How nice a town ! *Quelle belle ville !*
It's too heavy a suitcase, *c'est une trop lourde valise.*

h) Quelques expressions :

To make a fire, *faire du feu.*
To make a noise, *faire du bruit.*
To make a fortune, *faire fortune.*
Could you give me a light, *pourriez-vous me donner du feu ?*
To have an appetite, *avoir de l'appétit.*

3. Article défini

• Forme unique **the** : *le, la, les.*

• Se prononce [że] devant consonne : **the man, the lady, the dogs.**

          [żi]   —   voyelle :   **the inn, the ideas.**

               —   h « muet » : **the hours,** [żi aoueᵉz].

4. Emploi

■ *the* **s'emploie devant un nom bien déterminé.**

Un nom est déterminé notamment,

• par un complément de nom :

    The door of the room, *la porte de la pièce.*

• par une proposition relative :

    The cars that we saw yesterday,
    Les voitures que nous avons vues hier.

■ *the* **s'emploie aussi :**

• devant un nom unique en son genre :

    The moon, *la lune,* **the sun,** *le soleil,* **the sky,** *le ciel.*
    the earth, *la terre.*

• devant un animal désignant une espèce :

    The lion is the king of animals, *le lion est le roi des animaux.*

5. Omission

the **est omis devant des noms non déterminés.**

• <u>Noms pluriels pris dans un sens général</u> :

English cars are strongly built, *les voitures anglaises sont solides.*

• <u>noms abstraits</u>, de <u>saisons</u>, de <u>couleurs</u>, de <u>repas</u>, de <u>sciences</u> de <u>sports</u>, d'<u>art</u>, de <u>matières</u> pris dans un sens général :

Honesty pays, *l'honnêteté paie ;* **I like Spring,** *j'aime le printemps.*

Blue and green are colours, *le bleu et le vert sont des couleurs.*

Dinner is ready, *le dîner est servi.*

History teaches us that war is cruel, *l'histoire nous enseigne que la guerre est cruelle.*

Football is popular, *le football est populaire.*

Gold is becoming rare, *l'or devient rare.*

➡ Mais *the* reparaît si le nom est déterminé :
The English car we saw was a Triumph [traïemf].
La voiture anglaise que nous avons vue était une Triumph.
The honesty this man showed is admirable.
L'honnêteté dont cet homme fit preuve est admirable.
During the Spring of 2005…
Pendant le printemps 2005…
I don't like the red of your tie, *je n'aime pas le rouge de votre cravate.*
The dinner they offered was a bit formal (*un peu cérémonieux*)
Have you read the history of the Second World War ?
Avez-vous lu l'histoire de la Seconde Guerre mondiale ?
The football they played was dangerous.
Le football qu'ils jouaient était dangereux.
The gold of my ring… (*l'or de ma bague…*)

6. Noms géographiques

■ Pays au singulier ; pas d'article en général : **France, Great Britain, South Africa.**

   Exception : **the Sahara, the Tyrol.**

■ Pays au pluriel, on emploie l'article : **the Netherlands, the West Indies,** *les Antilles,* **the United States.** (Attention : **The U.S.** est grammaticalement singulier) :

   The U.S. is a rich country, *les États-Unis sont un pays riche.*
   ➡ Exception : **Flanders,** *Les Flandres,* **Wales,** *le Pays de Galles.*

■ Chaînes de montagnes, mers, océans, fleuves, avec article :

   the Alps, the Atlantic, the Thames.

Montagne isolée ; pas d'article : **Everest,** *l'Everest.*

7. Titres et appellations

• Pas d'articles devant titres ou appellations familières suivis d'un nom propre.

   Queen Elizabeth, *la Reine Élizabeth.*
   President Kennedy, *le Président Kennedy.*
   Doctor Watson, *le docteur Watson.*
   Uncle Sam, *l'oncle Sam.*
   Good old Jimmy, *le bon vieux Jimmy.*

• Exception : l'article reparaît devant certains titres étrangers :
The Czar Peter, *le Tsar Pierre.* **The Emperor Aki,** *L'Empereur Aki.*

8. Last (*dernier*) et **next** (*prochain*)

• Les jours de la semaine, **week,** *semaine,* **month,** *mois,* **year,** *année,* etc., sont précédés de **next** sans article quand le sens est *lundi prochain, la semaine prochaine,* etc.

> **Come back next week,** *revenez la semaine prochaine.*
> **I was away last month,** *j'étais parti le mois dernier.*

• Attention : *le suivant,* **the next**

> **The next Monday he told us he was going to marry Jane,**
> *Le lundi suivant il nous dit qu'il allait épouser Jeanne.*

9. Remarques

• Pas de **the** devant l'objet possédé au cas possessif et après le pronom **whose.**

• Dates et titres :

> **January 14th** se lit **January the fourteenth.**
> **Elisabeth II** se lit **Elisabeth the second.**

• **The** prononcé [ʒi], même devant consonne, et accentué, exprime *le* par excellence.

> **He is** *the* [ʒi] **specialist in this field.**
> *C'est le spécialiste en la matière.*

10. Quelques expressions

> **To be at home,** *être à la maison.*
> **To go to church,** *aller à l'église.*
> **All day,** *toute la journée ;* **all night,** *toute la nuit.*
> **To play chess, cards,** *jouer aux échecs, aux cartes* (mais : **to play the piano, the flute**).

LES ADJECTIFS

L'adjectif qualificatif est toujours <u>invariable</u> en <u>genre</u> et en <u>nombre</u> :
a big man, two big men ; a big car, two big cars.

1. Place de l'adjectif

L'adjectif épithète se place toujours <u>devant</u> le nom :

>   *Le ciel bleu,* **the blue sky.**

• Remarque : *a)* les adjectifs épithètes suivis d'un complément de nom se placent après le nom :

>   **A man red with anger,** *un homme rouge de colère.*

b) l'adjectif numéral cardinal ne doit pas être séparé du nom :

>   **The last three runners,** *les trois derniers coureurs.*

2. Adjectifs employés comme noms

■ Un adjectif abstrait, précédé de **the** donne un nom abstrait singulier : **the beautiful,** *le beau.*

■ Certains adjectifs, précédés de **the,** deviennent des noms pluriels de sens collectif ; vu leur origine d'adjectifs, ils ne prennent pas la marque du pluriel : **the dead,** *les morts ;* **the poor,** *les pauvres.*

Attention : *un mort :* **a dead man** ; *un pauvre :* **a poor man.**

3. Adjectifs de nationalité

Ils gardent toujours la majuscule.

■ Terminés par **-ch (French), -sh (English),** ils peuvent être employés comme noms collectifs : **the English** : *les Anglais,* mais *un Anglais :* **an Englishman.**

Attention : *l'anglais,* la langue anglaise : **English.**

■ Terminés par **-an (American)** ce sont aussi des noms variables prenant un **s** au pluriel : **one American, two Americans.**

■ Terminés en **-ese (Chinese)** [tchaïni:z]. **Japanese** [djapani:z] ce sont aussi des noms invariables : **one Chinese, two Chinese.**

• Attention :

Danish, *danois ;* **a Dane,** *un Danois ;* **Denmark,** *le Danemark.*
Polish, *polonais ;* **a Pole,** *un Polonais ;* **Poland,** *la Pologne*
Spanish, *espagnol ;* **a Spaniard,** *un Espagnol ;* **Spain,** *l'Espagne.*

4. Suffixes de formation

• De nombreux adjectifs sont formés en ajoutant à des noms les suffixes **-ful** et **-less** :

> **powerful,** *puissant ;* **powerless,** *impuissant.*
> **tactful,** *plein de tact ;* **tactless,** *sans tact.*

• Autres suffixes :

> **-y :** snowy, *neigeux ;*   **-en :** golden *d'or.*
> **-ish :** childish, *enfantin ;*   **-ern :** northern, *nordique.*

5. Adjectifs composés

• Le 1er terme détermine le 2e :

a) adjectif   + adjectif :   **dark-grey,** *gris sombre.*
       nom   + adjectif :   **snow-white,** *d'un blanc de neige.*
b) adjectif   **red-stained,** *taché de rouge.*
       adverbe } + p. passé :   **well-fed,** *bien nourri.*
       nom   **home-made,** *fait à la maison.*
c) adj.   }   + nom } + **-ed** :   **bare-headed,** *tête nue.*
       numéral   nom   **three-cornered,** *à trois coins.*
       nom   nom   **shame-faced,** *honteux.*
d) adjectif   + p. présent :   **good-looking,** *beau.*
       adverbe   + p. présent :   **everlasting,** *éternel.*
       nom   + p. présent :   **heart-rending,** *déchirant.*

6. Comparatifs

Il y a <u>comparaison</u> lorsqu'on établit des rapports d'<u>égalité</u>, de <u>supériorité</u>, d'<u>infériorité</u>, d'<u>inégalité</u> entre des éléments.

■ **Égalité :** *aussi (courageux) que…* = **as (courageous) as…**
    Jim is as courageous as Bill.

■ **Inégalité :** *pas aussi (gros) que…* = **not as, not so (big) as…**
    Jack is not so big as Mark.

■ **Infériorité :** *moins (grand) que…* = **less (tall) than…**
    Michael is less tall than George.

■ **Supériorité :** ici la construction anglaise dépend de la longueur de l'adjectif :

> <u>adj. court</u> + **-er : taller than** = *plus grand que…*
> **more** + <u>adj. long</u> : **more courageous than** = *plus courageux que…*

• <u>Sont considérés comme courts</u> : adjectifs d'une syllabe

   strong, *fort ;* **stronger,** *plus fort.*

La consonne finale précédée d'une seule voyelle se redouble :

   big, bigger, *plus gros.*

• Peuvent être traités comme <u>courts ou longs</u>, les adjectifs de 2 syllabes terminés en **-y, -w, -er, -some** :

lazy	**lazier**	ou **more lazy,**	*plus paresseux ;*
narrow	**narrower**	ou **more narrow,**	*plus étroit ;*
clever	**cleverer**	ou **more clever,**	*plus intelligent ;*
handsome	**handsomer**	ou **more handsome,**	*plus beau.*

• <u>Sont considérés comme longs</u> :

– les autres adjectifs de 2 syllabes :

   intense, more intense ; *plus intense.*

– les adjectifs de 3 syllabes et plus :

   My house is more comfortable than Paul's.
   Ma maison est plus confortable que celle de Paul.

7. Superlatifs

Il sert à marquer la <u>supériorité</u> ou l'<u>infériorité</u> par rapport à un ensemble : *le plus… de, le moins… de.*

■ **Supériorité :** sa construction dépend de la longueur de l'adjectif :

> adj. court + **-est : fast, the fastest** *(le plus rapide)*
> **the most** + adj. long : **important, the most important.**

Ainsi on aura : **the biggest, the tallest, the laziest, the narrowest, the cleverest, the handsomest, the most courageous.**

• Remarque : le complément du superlatif est généralement introduit par **of** :

The most important of those men was...
Le plus important de ces hommes était...

mais il est précédé de **in** lorsqu'il s'agit d'un complément de lieu.

The most important man in the world
L'homme le plus important du (ou : au) monde.

■ **Infériorité : the least** + adj. court ou long :

This is the least interesting film I have ever seen.
C'est le film le moins intéressant que j'ai jamais vu.

8. Comparatifs et superlatifs irréguliers

adjectif		comparatif		superlatif	
bad	*mauvais, mal*	**worse**	*pire,*	**the worst**	*le pire*
good **well**	*bon* *bien*	**better**	*meilleur* *mieux*	**the best**	*le meilleur* *le mieux*
far	*loin*	**farther** **further**	*plus loin* *au-delà*	**the farthest** **the furthest**	*le + lointain* *le + en avant*
late	*tard*	**later** **latter**	*plus tard* *plus récent*	**the latest** **the last**	*le + récent* *le dernier*
near **old**	*proche* *vieux*	**nearer** **older** **elder**	*plus proche* *plus vieux* *aîné(e)*	**the nearest** **the next** **the oldest** **the eldest**	*le + proche* *le suivant* *le + vieux* *l'aîné(e)*

• Note :
further : *additionnel, supplémentaire.*

We need further information.
Nous avons besoin de renseignements supplémentaires.

elder : *aîné(e)* ;

My elder sister is older than Paul.
Ma sœur aînée est plus âgée que Paul.

9. Comparatifs des participes

➡ jamais formés avec **-er** et **-est**, mais avec **more** et **most**

More tired, *plus fatigué.*
The most tired, *le plus fatigué.*

LES ADJECTIFS

10. *Plus* et composés

■ – *Le plus... de deux :* on emploie le <u>comparatif</u> et non le superlatif quand il n'y a que 2 termes en présence.

Here are Charles and Michael, *voici Charles et Michel.*
Charles is the taller, *Charles est le plus grand.*

De même : *le premier... le dernier* (nommé) : **the former... the latter, the former is french, the latter is italian,** *le premier est Français, le dernier est Italien.*

■ – *De plus en plus ; de moins en moins :* on répète le comparatif.

He plays faster and faster, *il joue de plus en plus vite.*
I am more and more careful, *je suis de plus en plus prudent.*
They are less and less careful, *ils sont de moins en moins prudents.*

■ – *Plus... plus ; moins... moins :* deux comparatifs avec **the** :

The warmer the water, the more pleasant it was.
Plus l'eau était chaude, plus c'était agréable.

■ – *D'autant plus que (d'autant moins que) :* **the more... as (the less... as).** (Souvent on a : **all the more...**).

We were the more pleased as we didn't expect that answer,
Nous étions d'autant plus content que nous ne nous attendions pas à cette réponse.

11. Comparatifs et superlatifs des adverbes

Même règle qu'aux n° 6 et 7.

➡ Attention : **early** *tôt*, fait toujours **earlier, earliest.**

➡ <u>Adverbe à comparatifs et superlatifs irréguliers</u>

little	*peu*	less	*moins*	the least	*le moindre*
much } many }	*beaucoup*	more	*plus*	the most	*le plus*

LES PRONOMS

1. Pronoms personnels

Sujet		Complément	
I	*je*	**me**	*moi, me*
You	*tu, vous*	**you**	*toi, te, vous*
He	*il*	**him**	*lui, le*
She	*elle*	**her**	*elle, la, lui*
It	*il, elle (neutre)*	**it**	*lui, elle, la, le*
We	*nous*	**us**	*nous*
You	*vous*	**you**	*vous*
They	*ils, elles*	**them**	*eux, elles, les, leur*

■ A la 3ᵉ personne du singulier : 3 pronoms pour 3 genres.

■ Le pronom personnel complément est toujours placé après le verbe :

He invites us, *il nous invite.*

■ **It :**

• désigne choses et animaux (ces derniers sont parfois masculin ou féminin) :

He has a new suit, he bought <u>it</u> in London.
Il a un nouveau costume, il <u>l'a</u> acheté à Londres.

• signifie : *ce :*

It's good, *c'est bon ;*
It is a nice house, *c'est une belle maison.*

• signifie : *il* dans :

It is 8 o'clock, *il est huit heures.*

• signifie : *en, y,* (est alors souvent précédé de : **at, from, in, of, to**) :

We think of it, *nous y pensons.*
He is proud of it, *il en est fier.*

• signifie : *le* (= la chose en question) :

I know it, *je le sais…*

• **It** peut précéder un infinitif ou une proposition qu'il annonce :

Don't you think it's a pity to waste all that time ?
Ne pensez-vous pas qu'il est dommage de gâcher tout ce temps ?
We thought it prudent to drive slowly,
Nous jugeâmes prudent de rouler doucement.

■ En anglais correct on utilise le pronom sujet dans des phrases comme :

> *c'est moi*   **it is I**
> *tu es aussi bête que lui*   **you are as silly as he** (= as he is).

2. Pronoms et adjectifs possessifs

a) adjectifs

my	*mon,*	*ma,*	*mes*	**our**	*notre,*	*nos*
your	*ton,*	*ta,*	*tes*	**your**	*votre,*	*vos*
his	*son,*	*sa,*	*ses* (Masculin)	**their**	*leur,*	*leurs*
her	*son,*	*sa,*	*ses* (Féminin)			
its	*son,*	*sa,*	*ses* (Neutre)			

• Ils sont invariables en genre et en nombre comme tout adjectif :
mon fils, ma fille, mes amis = **my son, my daughter, my friends.**

➡ Attention : à la 3ᵉ personne du singulier, 3 adjectifs correspondent aux 3 pronoms personnels **he, she, it,** et s'accordent avec le <u>possesseur</u> (et non comme en français avec ce qui est possédé) :

> **Mary writes to her husband, her sister and her friends,**
> *Marie écrit à son mari, sa sœur et ses amies ;*
> **Paul writes to his wife, his boss and his friends,**
> *Paul écrit à sa femme, son patron et ses amis.*

➡ Remarque : on emploie dans certains cas l'adjectif possessif en anglais au lieu de l'article défini en français :

> **He walked with his hands in his pockets,**
> *Il marchait les mains dans les poches.*

• **Own** = *propre* : adjectif attribut ; ajouté à l'adjectif possessif pour le renforcer :

> **He has his own problems,** *il a ses propres problèmes.*

b) pronom

mine	*le mien,*	*la mienne,*	*les miens ;*	
yours	*les tiens,*	*la tienne,*	*les tiens,*	*les tiennes ;*
his	*le sien,*	*la sienne,*	*les siens,*	*les siennes ;*
hers	–	–	–	–
its own	–	–	–	–
ours	*le nôtre,*	*la nôtre,*	*les nôtres ;*	
yours	*le vôtre,*	*la vôtre,*	*les vôtres ;*	
theirs	*le leur,*	*la leur,*	*les leurs.*	

• Attention : comme les adjectifs possessifs ils sont invariables et les pronoms possessifs de la 3ᵉ personne du singulier s'accordent en genre avec le possesseur :

Nous avons nos propres habitudes	= **we have our own habits**
Charles a les siennes	= **Charles has got his**
Mary a les siennes	= **Mary has got hers**
le chien a les siennes	= **the dog has its own**

• *à moi, à toi, à lui, etc.* marquant la possession, sont rendus par les pronoms possessifs après le verbe **to be** :

c'est à moi	= **it is mine**
ce foulard n'est pas à vous	= **this scarf is not yours**

3. Pronoms réfléchis

myself	*me, moi, moi-même ;*	**ourselves**	*nous, nous-mêmes ;*
yourself	*te, toi, toi-même ;*	**yourselves**	*vous, vous-mêmes ;*
himself	*se, lui-même ;*	**themselves**	*se, eux-mêmes,*
herself	*se, elle-même ;*		*elles-mêmes ;*
itself	*se, lui-même, elle-même.*		

➡ A l'infinitif : *se regarder* = **to look at oneself.**

Emploi : • pour renforcer un sujet ou un complément :

I want to do it myself, *je veux le faire moi-même ;*
I must speak to Mark himself, *je dois parler à Marc lui-même.*

• dans la conjugaison réfléchie (le sujet fait une action qu'il subit) :

Je me regarde, **I look at myself.**

4. Pronoms réciproques

• *Se, nous, vous* peuvent avoir un sens réciproque et signifier *l'un l'autre, les uns les autres* :

en anglais moderne, pas de différence entre **one another,** *l'un l'autre* (de plus de deux) et **each other,** *l'un l'autre* (de deux) :

nous nous aidons	} *l'un l'autre*	**we help**	} **each other**
vous vous aidez	} *les uns les autres*	**you help**	}
ils s'aident	}	**they help**	} **one another**

■ *Voix pronominale*

Un verbe est à la voix pronominale quand il est précédé d'un pronom personnel à la même personne que le sujet, ex. : *ils se regardent.* Elle présente 3 nuances principales en français :

• Sens réfléchi. En anglais avec **to dress,** *s'habiller,* **to shave,** *se raser,* **to wash,** *se laver,* on sous-entend le pronom réfléchi.

• Sens réciproque : *ils se détestent,* **they hate each other.**

• <u>Sens passif</u> : se *nommer*, se *fiancer*, se *marier*. Ces verbes se traduisent par un passif ou par **to get, to become** + participe passé.

Il se nomme Billy, **he is called Billy** ;

Elle s'est fiancée l'an dernier, **she got engaged last year.**

Donc :

il se voit (miroir)	= **he sees himself**	(S. réfléchi)
ils se voient (l'un l'autre)	= **they see each other**	(S. récipr.)
l'affiche se voit (de loin)	= **the poster is seen**	(S. passif)

Rappelez-vous de :

se rappeler	**to remember**	s'exclamer	**to exclaim**
se demander	**to wonder**	s'évanouir	**to faint**
s'arrêter	**to stop**		

5. Pronoms relatifs

	sujet *qui*	complément *que*	cas possessif *dont*
personnes	**who, that**	**who(m), that**	**whose**
choses	**which, that**	**which, that**	**of which**

• **Who : President F.D. Roosevelt, who was elected four times…**
Le Président F.D. Roosevelt, qui fut élu quatre fois…

• **Who(m) : Jack, whom we invited,…** *Jacques, que nous avons invité,…*

• **Which : British cars, which are fashionable on the Continent,…** *les voitures britanniques, qui sont à la mode sur le continent,…*

• **Whose :** de même qu'avec le cas possessif, l'objet possédé suit directement **whose** et perd l'article **the.**

Here is a man whose employers are angry,
Voici un homme dont les employeurs sont en colère.

• *Of which :* se place après la chose possédée.

The green car, the back of which you can see, is mine.
La voiture verte dont vous voyez l'arrière est à moi.

➡ Remarque a) : la forme **who** remplace souvent **whom** comme complément d'objet direct ; mais on a toujours **whom** dans **to whom,** *à qui,* **for whom,** *pour qui,* **by whom,** *par qui,* etc., sauf si la préposition est rejetée après le verbe :

Who(m) do you want to speak to ? *À qui voulez-vous parler ?*

b) **Whose** tend à remplacer **of which** en anglais moderne.

6. That

Le tableau du n° 5 montre que **that** (sujet ou complément) peut représenter une personne ou une chose.

Emploi :

• toujours après le superlatif et **all,** *tout,* **only** *seulement,* **first,** *premier,* **last,** *dernier* :

> **The most difficult problem that we have ever encountered**
> *Le problème le plus difficile que nous ayons jamais rencontré.*

• après des antécédents de divers genres :

> **The people and the houses that we have insured...**
> *Les gens et les maisons que nous avons assurés...*

• on préfère **that** quand la subordonnée complète le sens de l'antécédent :

> **Show me the man that you suspect,**
> *Montrez-moi l'homme que vous soupçonnez.*

Aussi dit-on de **that** relatif qu'il a un sens déterminatif.

➡ Notez : **that,** complément, peut-être omis.

7. Traductions de *dont*

■ *dont* + nom : complément de nom = **whose, of which,** ➡ n° 5.

■ *dont* + verbe : préposition + **whom** ou **which** :

> *l'homme dont vous parlez,* **the man of whom you speak...**
> *la prison dont il s'était échappé,*
> **the prison from which he had escaped.**

8. Omissions du pronom relatif et rejet de la préposition

■ Le pronom relatif complément (**whom, that, which**) peut toujours être sous-entendu :

> **The man we saw...** *l'homme que nous avons vu...*
> **The flat we bought...** *l'appartement que nous avons acheté...*

■ La préposition qui introduit le relatif est souvent rejetée à la fin de la proposition relative et le relatif omis : (➡ également p. 70).

> *Les gens avec qui j'ai voyagé...*
> **The people I travelled with... (with whom I travelled).**
> *La maison à laquelle il rêvait...*
> **The house he was dreaming of...**

➡ Notez : avec **that** relatif, la préposition est toujours rejetée. Ex. :

> **The only case that I heard of,**
> *Le seul cas dont j'ai entendu parler.*

9. Pronoms et adjectifs interrogatifs

sujet	**who ?**	*qui ? qui est-ce qui ?*
	what ?	*qu'est-ce qui ?*
	which ?	*lequel ?* (choix limité)
compl.	**who(m) ?**	*qui ? qui est-ce qui ?*
	what ?	*quoi ? que ? qu'est-ce que ?*
	which ?	*lequel ?* (choix limité)
	whose	*à qui ?* (possession)

Who is there ? *qui est là ?*
What is wrong ? *qu'est-ce qui ne va pas ?*
Which of you will come ? *lequel d'entre vous viendra ?*
Whom shall I invite ? *qui inviterai-je ?*
What does he want ? *que veut-il ?*
Which of them do you prefer ? *lequel d'entre eux préférez-vous ?*
Whose computer is this ? *à qui est cet ordinateur ?*

➡ Remarques :

a) la préposition qui introduit le pronom interrogatif est le plus souvent rejetée :

> **What are you dreaming of ?**
> *À quoi rêvez-vous ?*

b) **Which** est utilisé (personne ou chose) pour indiquer un choix entre un petit nombre :

> **Which of these actresses do you prefer ?**
> *Laquelle de ces actrices préférez-vous ?*

c) **What et which** sont aussi adjectifs interrogatifs :

> **What film do you want to see ?** *Quel film voulez-vous voir ?*
> **Which car shall we take, the Mini or the Ford ?**
> *Quelle voiture prendrons-nous, la Mini ou la Ford ?*

d) **What,** pronom, sert à interroger sur la profession :

> **What are you ?** *Que faites-vous ?*
> **I am a bank clerk,** *je suis employé de banque.*

e) Réponse à **whose ?** :

> **Whose cell phone is this ?** { **It's mine** *c'est à moi*
> *A qui est ce (téléphone)* **It's Jean's** *c'est à Jeanne*
> *portable ?* **It's yours** *c'est le vôtre*

10. Pronoms et adjectifs démonstratifs

singulier			pluriel		
This	adj.	ce… -ci, cette…-ci	**These**	adj.	ceux-ci,
	pronom	ceci, ce		pronom	etc.
That	adj.	ce… -là, cette…-là	**Those**	adj.	ces…-là
	pronom	celui, celle,		pronom	ceux-là
		cela, ce			celles…-là

This, these : <u>ce qui est proche</u> ; **that, those** : <u>ce qui est éloigné</u>.

• Adjectif : invariable en genre ; possède un pluriel.

this man, this woman, this dog, these boys ;
that man, that woman, that dog, those boys.

• Pronom : **this is my office** = *voici mon bureau*
           that is my car = *voilà ma voiture*
           these are my files = *voici mes dossiers*
           those are Peter's = *voilà ceux de Pierre*
           celui… de : **that… of,**   *ceux… de* : **those… of**

    I prefer your explanations to those he gave me,
    je préfère vos explications à celles qu'il m'a données.

■ *Ce… qui, ce… que* **(Relatifs doubles)** : **what, which.**

• **What** : appartient à la proposition principale et à la proposition subordonnée :

    He knows <u>what</u> he wants, *il sait <u>ce qu'il</u> veut.*

• **Which** : placé après une virgule, reprend la proposition précédente :

    He arrived in time, <u>which</u> was unusual,
    il arriva à l'heure, <u>ce qui</u> était inhabituel.

➡ Attention ! – **What** peut être sujet :

    What surprises me is that, etc…
    Ce qui me surprend c'est que, etc…

■ *Tout ce qui, tout ce que* = **all that**

    All that glitters is not gold,
    Tout ce qui brille n'est pas or.
    He offered them all (that) he could,
    Il leur offrit tout ce qu'il put.

■ *Celui qui, celui que ; celle qui, celle que*

• <u>pour les personnes</u> : **the one + who, whom** ou **he, she + who, whom** :

celui qui arrivera le 1ᵉʳ { **the one who will arrive first,**
{ **he who will arrive first.**

c'est celle qu'il a épousée { **it's the one (whom) he married,**
{ **it's her whom he married.**

• <u>pour les choses</u> : **the one which**
Bring me the one which is near the window,
Rapporte-moi celui qui est près de la fenêtre.

■ *Ceux qui, ceux que ; celles qui, celles que*

• <u>personne</u> : **the ones who, whom** ou **those who, whom.**
ceux qui seront choisis { **the ones who will be chosen**
{ **those who will be chosen.**

• <u>choses</u> : **the ones which, those which** :
Ils ne veulent pas celles que vous proposez,
They do not want the ones which you propose, ou :
They do not want those which you propose.

LES MOTS INDÉFINIS

Ils sont en général adjectifs ou pronoms et expriment une idée de quantité.

1. Some (et dérivés)

Quelque(s), certain(s), du, de, de la, des, dans des phrases affirmatives.

• adjectif :

I bought some oranges, *j'ai acheté des oranges.*

• pronom :

Some agree, some disagree,
Certains sont d'accord, d'autres ne le sont pas.

• adverbe :

environ, devant numéral : **there were some 20 of us,** *nous étions 20 environ.*

➡ **Attention :** on emploiera **some** dans une demande ou offre polie, quand on attend la réponse *oui.*

Do you want some coffee ?, *voulez-vous du café ?*

• Dérivés :

something, *quelque chose ;* **somebody, someone,** *quelqu'un ;* **somewhere,** *quelque part.*

2. Any (et dérivés)

Quelque(s), du, de, de la, des, dans des phrases interrogatives ou exprimant un doute (**not any** dans les phrases négatives).

• adjectif :

Are there any new models this year ?
Y a-t-il des nouveaux modèles cette année ?

• pronom :

Are any of you willing to come ?
Est-ce que certains d'entre vous sont désireux de venir ?

➡ **Attention :** en phrase affirmative, **any** = *n'importe quel, lequel.*

He may come at any moment,
Il peut venir à n'importe quel moment.

Any of these Irishmen will sing a ballad for you,
N'importe lequel de ces Irlandais vous chantera une ballade.

LES MOTS INDÉFINIS

Not any :

> *aucun, pas un* : **I don't owe them any money,** *je ne leur dois aucun argent (pas un sou).*

- Dérivés :

> **anything,** *quelque chose ; n'importe quoi, tout ;*
> **anybody, anyone,** *quelqu'un, n'importe qui.*
> **anywhere,** *n'importe où.*

3. No

- Adjectif = **not any** : *aucun, pas de, pas un, nul.*

> **I owe them no money,** *je ne leur dois pas d'argent.*
> **He brought no information,** *il n'apporta pas de renseignement.*

- Adverbe = *non.*

- Dérivés :

> **nothing,** *rien ;* **nobody, no one,** *personne.*
> **nowhere,** *nulle part.*

4. None

Pronom = *aucun, pas un, rien, pas de, en, nul.*

> **None of them came,** *aucun d'entre eux ne vint.*
> **None of this concerns us,** *rien de ceci ne nous concerne.*
> **Has he got any money ? he has none,**
> *A-t-il de l'argent ? il n'en a pas.*

5. One

- *Un, seul, unique* :

> **a one way street,** *une rue à sens unique.*

- *Un certain* :

> **one Mr. Smith,** *un certain M. Smith.*

- L'indéfini **one** (plur. **ones**) se met à la place d'un nom pour ne pas répéter ce dernier :

> **Have you got any English shirts ? I'd like a blue one,**
> *Avez-vous des chemises anglaises ? j'en voudrais une bleue.*

6. Both

Tous (les) deux ; toutes (les) deux ; l'un (e) et l'autre à la fois : n'est jamais précédé de l'article **the.**

- nom : **Both (of them) are dead,** *ils sont morts tous les deux.*

- adjectifs : **On both sides,** *des deux côtés.*

- adverbe ; *à la fois* : **he is both silly and wicked,** *il est à la fois bête et méchant.*

LES MOTS INDÉFINIS

7. Either
L'un et l'autre (des deux) ; chaque ; l'un ou l'autre.

- <u>adjectif</u> :

  there were cars on either side,
  il y avait des voitures de chaque côté.

- <u>pronom</u> :

  I don't believe either of you,
  je ne vous crois ni l'un ni l'autre.

- <u>conjonction</u> :

  either... or = *ou... ou, soit... soit.*

8. Neither : *Ni l'un ni l'autre.*
<u>pronom</u> : **neither of them knows the truth.**
<u>conjonction</u> : **neither... nor** = *ni... ni.*

9. All : *Tout.*
- Adjectif : s'applique à une totalité divisible ; placé avant l'article

  all the men are present, *tous les hommes...*

- <u>pronom</u> : *tout, chaque chose, tous.*

  all of us, *nous tous ;* **that's all,** *voilà tout.*

- <u>adverbe</u> : *complètement ;*   **he was all covered with mud.**
  il était tout recouvert de boue.

➡ **Attention : all day,** *toute la journée ;* **all night,** *toute la nuit* mais
tous les jours, **every day.**

10. Whole
Décrit une totalité indivisible.
- <u>adjectif</u> : *tout(e) entier(e) ;* placé après l'article.

  Tell me the whole truth, *dites-moi toute la vérité.*
  The whole factory was on strike, *l'usine entière était en grève.*

- nom : *le tout, l'ensemble, le total.*

  the whole amounts to..., *le total se monte à...*
  as a whole..., *dans son ensemble ;* **on the whole,** *en somme.*

11. Every
Chaque, tout(e), tous les... ; adjectif singulier de sens collectif = **all** + pluriel.

  every day, *chaque jour, tous les jours.*
  every other day, *tous les deux jours.*
  I have every reason to believe..., *j'ai toutes raisons de croire...*

12. Each : *Chaque* (chacun en particulier dans les éléments d'un groupe).
- adjectif :
    Each boy received a different gift,
    Chaque garçon reçut un cadeau différent.

- pronom :
    The peaches cost 25p (pence) each,
    Les pêches coûtent 25 pence pièce (chacune).
    We went to the races and we won 20 pounds each,
    Nous sommes allés aux courses et nous avons gagné 20 livres chacun.

13. Other : *Autre.*
- adjectif :
    Have you any other questions ? *Avez-vous d'autres questions ?*
- pronom : (**other, others**) :
    One after the other, *l'un après l'autre,*
    The others will arrive to-morrow, *les autres arriveront demain.*
➡ Notez : **another,** *un autre.*

14. Else
- adverbe. a) *autre* :
    somebody else, *quelqu'un d'autre.*
    who else ? *qui d'autre ;* **what else ?** *quoi d'autre.*
b) *ailleurs :*
    everywhere else, *partout ailleurs.*
    or else, *ou bien.*

15. Same : *même, le, la, les mêmes.*
- adjectif :
    He repeated the same words, *il répéta les mêmes mots.*
- pronom :
    He got up and I did the same, *il se leva et je fis de même.*

16. Adjectifs et pronoms quantitatifs.

■ **Much et many** = *beaucoup.*
- **much** + singulier ; remplacé par **plenty of, a lot of, a good deal of,** dans les phrases **affirmatives.** Ainsi on dira :
he hasn't much work mais **he has a lot of work.**

- **many** + pluriel = **plenty of, a lot of, lots of, a number of.**
he has many friends (lots of…) *il a beaucoup d'amis.*

- *combien* = **how much** + singulier.
           how many + pluriel.

  how much money did he lose ? *combien d'argent a-t-il perdu ?*

  how many books have you read ?
  combien de livres avez-vous lus ?

- **Little et few** = *peu.*

  little + singulier : **he has little to do,** *il a peu à faire.*

  few + pluriel : **he has few enemies,** *il a peu d'ennemis.*

➡ Attention : **a little** = *un peu ;* **a few** = *quelques.*

he has little money	**he has a little money**
il a peu d'argent	*il a un peu d'argent*
he had few occasions	**he had a few occasions**
il eut peu d'occasions	*il eut quelques occasions*

- *Tant de, si peu de,* etc.

so much	+ sing.	} *tant de*	**so little**	+ sing.	} *si peu de*
so many	+ plur.		**so few**	+ plur.	
as much	+ sing.	} *autant de*	**as little**	+ sing.	} *aussi peu de*
as many	+ plur.		**as few**	+ plur.	
too much	+ sing.	} *trop de*	**too little**	+ sing.	} *trop peu de*
too many	+ plur.		**too few**	+ plur.	

- *Plus de, davantage de :* **much** et **many** ont un comparatif commun : **more** :

  more milk, *davantage de lait.*
  more cars, *davantage de voitures.*

PRÉPOSITIONS ET POSTPOSITIONS

1. Définitions

■ **Préposition :** mot qui sert à <u>introduire un complément.</u>

• Elle peut introduire un complément de nom :

The end *of* **the story,** *la fin de l'histoire.*

• ou de verbe :

I dreamed *about* **you** (compl. indirect), *j'ai rêvé de vous.*
I hadn't thought *of* **it** (compl. indirect), *je n'y avais pas pensé.*
The house consists *of* **3 rooms** (compl. indirect).
la maison comprend 3 pièces.
He is writing *on* **the wall** (compl. circonstanciel),
Il écrit sur le mur.
She speaks *with* **a French accent** (compl. circonstanciel),
Elle parle avec un accent français.

■ **Postposition :** <u>petit adverbe</u>, qui placé après un verbe, en précise ou transforme le sens :

to come, *venir ;* **to come in,** *entrer.*

➡ Elle fait partie intégrante du verbe.

2. Différences entre pré- et postpositions

■ Il résulte de ce qui précède qu'un <u>verbe perd sa préposition</u> quand il <u>perd son complément</u> :

He listens to me	*Il m'écoute*	mais **he listens**	*il écoute.*
Look at him !	*Regardez-le*	mais **look !**	*regardez !*
Wait for me !	*Attendez-moi !*	mais **wait !**	*attendez !*

• Au contraire, la postposition est inséparable du verbe dont elle fait partie :

He came in, *il entra.*
Look up ! *levez les yeux !*

➡ Remarque : à l'infinitif sans complément, la préposition disparaît

regarder = **to look.**

mais la postposition subsiste :

lever les yeux = **to look up.**

■ Dans la langue parlée, la postposition est accentuée, la préposition ne l'est pas.

3. Rôle commun aux pré- et postpositions

• Prépositions et postpositions traduisent souvent une idée de mouvement :

> Prép. : **he ran across the street,** *il traversa la rue en courant.*
>
> Post. : **he walked away,** *il s'éloigna en marchant.*

• Prépositions et postpositions sont alors <u>traduites en français par des verbes</u> : en effet ce sont elles qui décrivent l'action principale, le verbe anglais précisant la manière dont celle-ci est faite :

He ran down the street,	*il descendit la rue en courant.*
He walked down the street,	*il descendit la rue en marchant.*
He drove down the street,	*il descendit la rue en voiture.*
He rode down the street,	*il descendit la rue à bicyclette.*

• De même :

He ran out,	*il sortit en courant.*
He walked out,	*il sortit en marchant, etc.*

➡ Certains mots peuvent être <u>à la fois</u> prépositions et postpositions : ainsi **up, down, off, on.**

> **he ran down,** *il descendit en courant.*
>
> **he ran down the stairs,** *il descendit les escaliers en courant.*

➡ Attention :

• **in** <u>préposition</u> indique <u>l'immobilité</u> dans un lieu :

> **I work in my study,** *je travaille dans mon bureau.*

• **in** <u>postposition</u> indique le <u>mouvement</u> :

> **Come in !** *Entrez !*

4. Quelques prépositions usuelles

> **at** = *à*, sans mouvement : **he is at home,** *il est à la maison.*
>
> **in** = *dans,* en, sans mouvement.
>
> **into** = *dans, en,* avec mouvement ou changement d'état :
>
> > **Translate into English,** *traduire en anglais*
> >
> > **to go into a house,** *entrer dans une maison.*
>
> **to** = à, en, avec mouvement : **I'm going to London,** *je vais à Londres.*

from =	*de, à partir de, venant de,*		
out of =	*hors de.*		
on, upon =	*sur.*	**before** =	*avant.*
up =	*vers le haut.*	**after** =	*après.*
down =	*vers le bas.*	**across** =	*à travers.*
above =	*au-dessus.*	**through** =	*à travers.*
below =	*au-dessous.*	**about** =	*au sujet de.*
under =	*sous.*	**with** =	*avec.*
between =	*entre.*	**without** =	*sans.*
against =	*contre.*	**for** =	*pour.*
round, around =	*autour.*	**like** =	*comme.*

5. Remarques sur les prépositions

■ Certains verbes français <u>sans préposition</u> sont traduits en anglais par des <u>verbes à préposition</u> :

> *regarder quelqu'un,* **to look at somebody.**
> *écouter quelqu'un,* **to listen to somebody.**
> *attendre quelqu'un,* **to wait for somebody.**

■ Certains verbes français <u>à préposition</u> sont traduits en anglais par des verbes <u>sans préposition</u> :

> *répondre à quelqu'un,* **to answer somebody,**
> *entrer dans une pièce,* **to enter a room.**
> *avoir confiance en quelqu'un,* **to trust somebody.**

■ Souvent l'anglais et le français utilisent des prépositions différentes :

> *boire dans un verre,* **to drink out of a glass.**
> *remplir d'eau,* **to fill with water.**

6. Place des compléments d'attribution

Là où le verbe français se construit avec un complément d'objet direct (1) et un complément d'attribution (2) :

> *Je donne un livre* (1) *à Jeanne* (2).

le verbe anglais a deux constructions possibles :
a) verbe + complément d'objet direct + complément d'attribution introduit par préposition :

> **I give a book to Jean.**

b) verbe + deux compléments sans prépositions (le complément de personne vient alors le premier) :

> **I give Jean a book.**

➡ Remarque : la première construction est la seule possible si le complément d'objet direct est un pronom :

> **I give it to Jean,** *je le donne à Jeanne.*

7. Prépositions suivies d'un verbe

Dans ce cas, le verbe est toujours à la forme en **-ing** :

He is tired of walking, *il est fatigué de marcher.*
Before leaving, *avant de partir* ; **on entering,** *en entrant,* etc.

8. Rejet de la préposition (➡ également p. 58).

■ Dans une phrase interrogative :
What are you talking about ? (au lieu de **about what…**)

■ Lorsqu'on sous-entend le relatif :
There is nobody to talk to ; (to whom to talk),
Il n'y a personne à qui parler.

■ Après un infinitif :
We must see him to begin with.
Pour commencer, il faut que nous le voyons.

9. Remarques sur les postpositions

Elles peuvent :

• <u>renforcer un verbe</u> :
  to end, *finir ;* **to end off,** *achever.*

• <u>décrire la direction</u> du mouvement :

to come	in	entrer	back	revenir	by	approcher
	out	sortir	away	s'éloigner	over	surmonter
	up	monter	across	traverser	off	se détacher
	down	descendre	through	pénétrer		

70

• <u>changer un verbe d'attitude en verbe de mouvement</u> :

to stand	*être debout*	**to stand up**	*se lever*
to sit	*être assis*	**to sit down**	*s'asseoir*
to lie	*être allongé*	**to lie down**	*s'allonger*

• <u>modifier complètement le sens</u> d'un verbe :

to carry	*porter*	**to carry on**	*persévérer*
to bring	*apporter*	**to bring up**	*élever*
to make	*faire*	**to make up**	*maquiller, rattraper*
to take	*prendre*	**to take off**	*ôter, décoller*
(avion)			

10. Un verbe à postposition peut avoir un complément :

■ <u>soit indirect</u> (introduit par une préposition) :

to go out : he went out into the garden,
il est sorti dans le jardin.
(**out** = postp. : **into** = prép.).

■ <u>soit direct</u> :

• La postposition se place alors avant ou après le complément si c'est un nom : ex. **to put on.**

He put on his hat ; ou **he put his hat on,**
Il a mis son chapeau.

• Elle se place nécessairement après le complément si c'est un pronom :

he put it on, *il l'a mis.*

11. Emploi emphatique (c.-à-d. : qui insiste sur…)

Détachée en tête, la postposition donne de la vivacité à la phrase :

Off we go ! *(et) nous voilà partis !*

12. Adjectifs employés comme postpositions

The wind blew the door shut, *le vent ferma la porte.*
He read himself blind, *il s'est rendu aveugle à force de lire.*

Les adjectifs **shut** et **blind** indiquent le résultat de l'action, les verbes précisent la manière dont elle s'opère.

71

LES ADVERBES

1. Formation (principaux suffixes)

■ <u>Adjectif</u> + **-ly** : cas le plus fréquent.
   Deep, *profond ;* **deeply,** *profondément ;*
   sad, *triste ;* **sadly,** *tristement.*

<u>Adjectif</u> + **-ily** : pour adjectifs terminés en **-y,** (qui disparaît).
   Heavy, *lourd ;* **heavily,** *lourdement.*

■ nom + **-wards : northwards,** *vers le nord.*
   Préposition + **-wards : upwards,** *vers le haut.*

■ **-wise** [waïz], indique la manière :
   likewise, *de même ;* **otherwise,** *autrement ;* **clockwise,** *dans le sens des aiguilles d'une montre.*

2. Place

■ Adverbes de <u>temps de sens général</u> (**always,** *toujours ;* **often,** *souvent ;* **soon,** *bientôt ;* etc.) :
   • Devant le verbe :
     I often go to the theatre, *je vais souvent au théâtre.*
   • Après l'auxiliaire :
     He is always late, *il est toujours en retard.*
     He has always helped me, *il m'a toujours aidé.*

■ Adverbes de <u>temps précis</u> (**today** *aujourd'hui,* **yesterday** *hier,* **at once** *tout de suite*) : à la fin ou au début de la proposition :
   He received a letter yesterday, *il a reçu une lettre hier.*
   We shall start at once, *nous démarrerons tout de suite.*

■ Adverbes <u>de manière</u> (**carefully,** *soigneusement*) :
   • Après les compléments du verbe : **he studied the map care fully,** *il a étudié la carte soigneusement.*
   • Ou devant le verbe : **he carefully studied the map.**
   • Après l'auxiliaire : **he has carefully studied the map.**

■ Adverbes <u>de lieu</u> (**there, here,** etc.) en général à la fin :
   Write down your name here, *écrivez votre nom ici.*

■ Adverbes <u>de quantité</u> (**much, little…**) :
   • En général à la fin : **we liked this play very much.**
     nous avons beaucoup aimé cette pièce.
   • Ou avant le verbe : **we little thought that…**
     nous ne pensions guère que…

3. *Trop*

- *Trop* + adj. ou adv. : **too**   **too small,** *trop petit ;*
  too often, *trop souvent.*

- *trop de* + nom sing. : **too much too much water,** *trop d'eau.*

- *trop de* + nom plur. : **too many too many bottles,** *trop de bouteilles.*

- *trop* employé seul :   **too much** ou **too many,** selon le cas.

4. *Assez* = Enough [inœf]

- *Assez* + adj. ou adv. = **enough** après adjectif ou adverbe :
  Big enough, *assez gros.* **Sadly enough,** *assez tristement.*

- *Assez* + nom = **enough** avant ou après nom :
  Enough money ou **money enough** = *assez d'argent.*

5. *Très*

- **Very** devant adj. ou adv. : **very sad,** *très triste ;* **very often,** *très souvent.*

- **Much, very much** devant comparatif et participe passé :
  (very) much better ; (very) much frightened, *très effrayé.*

6. *Encore*

- Dans une affirmation, au sens de *toujours* = ***still ;***
  He is still here, *il est encore là.*

- Dans une phrase négative = ***yet ;***
  He has not yet arrived, *il n'est pas encore arrivé.*

➡ Retenez : **still more,** *encore plus ;* **as yet,** *jusqu'à présent.*

➡ Remarque : **still** et **yet** sont aussi conjonctions.
   still = *cependant, pourtant, toutefois.*
   yet = *cependant, malgré tout.*

7. *Jamais*

- *Ever* dans une phrase affirmative (jamais = un jour).
  If ever I become rich, *si jamais je deviens riche.*

- *Never* dans une phrase négative :
  I never go there, *je n'y vais jamais.*

8. Adjectifs adverbes

➡ Certains mots peuvent être <u>adjectif</u> ou <u>adverbe</u>

Daily	*quotidien,*	*quotidiennement.*
Early	*précoce,*	*de bonne heure, tôt.*
Far	*lointain,*	*loin.*
Fast	*rapide,*	*rapidement.*

9. Adverbes interrogatifs

why ? *pourquoi ?* ; ***when ?*** *quand ?* ; ***where ?*** *où ?* ; ***how ?*** *comment ?* ;
Ces adverbes sont toujours suivis du même ordre de mots :

adv. interro.	auxiliaire	sujet	verbe	complément
why	**did**	**you**	**sell**	**your car ?**
pourquoi	*avez*	*– vous*	*vendu*	*votre voiture ?*

10. How : différents sens

• **How** = *comment* ; **how are you ?** *comment allez-vous ?*

• **How much** + sing., **how many** + plur. = *combien de* + nom.

• **How** + adverbe : **how often** = *combien de fois.*
                      how long = *combien de temps.*

• **How** + adj. = *quel* + nom.

     How old are you ? *quel âge avez-vous ?*
     How tall is he ? *quelle est sa taille ?*

ou *combien* + terme de mesure :

     How long, wide, is the table ?
     Combien la table fait-elle de long, de large ?

ou exclamatif : ➡ n° 11 suivant.

11. Exclamatifs

■ *Quel* (+ adjectif) + nom : **what a** (+ adj.) + nom :

     What a story ! *Quelle histoire !*
     What a funny story he told you !
     Quelle drôle d'histoire il vous a racontée !

➡ Remarque : pas d'article avant les noms abstraits :

     What intelligence ! *quelle intelligence !*

■ *Comme !* : **how** + adjectif (ou adverbe) :

     How tall he is ! *comme il est grand !*

➡ Remarque : notez que le verbe vient en dernier.

LES ADVERBES

■ *Si* : so ; I am so glad ! *je suis si content !*

so + adj. + **a** + nom sing. : **he is so nice a boy !**
c'est un si gentil garçon !

such + **a** + adj. + nom sg. : **he is such a nice boy !**
c'est un si gentil garçon !

➡ Attention au pluriel :

They are so nice ! mais **They are such nice boys**

■ *Tellement, tant* : so much + sing. : **so much work**
tant de travail !

so many + plur. : **so many troubles !**
tellement d'ennuis !

such + nom abstrait :

He showed such courage… *il a montré tant de courage…*

■ *Un tel, une telle,* etc. : **such a** + sing.
such + plur.

He is such a liar ! *c'est un tel menteur !*
He tells such lies ! *il dit de tels mensonges !*

■ Conjonctions de coordination.

and	*et*	**so, then, thus**	*ainsi, donc, alors*
but	*mais*	**therefore**	*par conséquent*
besides	*en outre*	**yet, still** ⎱	*cependant, pourtant*
nevertheless	*néanmoins*	**however** ⎰	
either...or	*ou...ou*	**whether...or**	*si...ou si, soit...soit*
neither...nor	*ni...ni*	exprime une alternative	

■ Conjonctions de subordination.

a) **That** = *que* : simple conjonction omise en général.

   I think (that) they will help us, *j'espère <u>qu'ils</u> nous aiderons.*

➡ Mais **that** = *au point que*, exprimant la conséquence, <u>n'est pas omis.</u>

   He was so angry that he left us without saying good-bye.
   Il était si en colère qu'il partit sans nous dire au revoir.

➡ N'oubliez pas que **till, until** *(jusqu'à ce que)*, **though, although**
bien que, **before** *avant que*, **unless**, *à moins que*, <u>gouvernent en
anglais l'indicatif.</u>

b) Attention : *avant que* = **before** ; *bien que* = **though.**

   Don't come in before they call you.
   N'entrez pas avant qu'ils (ne) vous appellent.
   Though he is poor, he is generous.
   Bien qu'il soit pauvre, il est généreux.

c) **As** : conjonction = *Au moment où* :

   He went out as I came in, *il est sorti au moment où j'entrai.*

• *Comme, en tant que* :

   As a doctor, I think that..., *en tant que docteur, je pense que...*

• *Comme, tel que* : **Do as you wish,** *faites comme vous le désirez.*

➡ **Attention : as et like** = *comme* ; mais :

• **as,** <u>conjonction</u>, introduit un <u>verbe</u> :

   She acts as she is told, *elle fait comme on lui dit.*

• **Like,** préposition, introduit un complément :

   Don't behave like him (ou **as he does**), *ne vous comportez pas
   comme lui.*

d) **Since** :

• <u>conjonction</u> = *depuis que, puisque*

   Since I have known him, *depuis que je le connais.*

   Since you know him, *puisque vous le connaissez.*

• <u>préposition</u> = *depuis*

   Since this morning..., *depuis ce matin...*

1. *Vouloir*

a) <u>volonté arrêtée</u> : **to want** :

I want to see him, *je veux le voir.*

➡ Attention : **to want** n'existe pas au conditionnel : voir *b* et *c*.

b) <u>volonté</u> soumise à une <u>condition</u> :

I should like, I would like : *j'aimerais, je voudrais.*

I should like to buy a new car,
J'aimerais acheter une nouvelle voiture.

He would like to find a flat,
Il voudrait trouver un appartement.

c) <u>souhait</u> : **to wish** (*souhaiter*) :

I wish I had a flat, *je voudrais avoir un appartement.*

He wishes he were younger, *il souhaiterait être plus jeune.*

➡ Attention : Le français utilise ici le conditionnel (*je voudrais*) ; l'anglais emploie **to wish** à l'indicatif, suivi d'un prétérit modal.

d) <u>vouloir que</u> : proposition infinitive. (voir ➡ n° 18, p. 39).

e) <u>expressions</u> :

Voulez-vous une cigarette ?	**will you have a cigarette ?**
Comme vous voulez,	**as you wish ; as you like.**
Je veux bien,	**I don't mind.**

2. *Dire*

■ – *Dire quelque chose, dire que :* **to say something, to say that** :

He says that he can't come, *il dit qu'il ne peut pas venir.*

• Remarque : **to say** s'emploie après ou avant des « guillemets » :

he said, "I can't come", *« je ne peux pas venir »,*
dit-il.

■ – *Dire à quelqu'un, dire quelque chose à quelqu'un :* **to tell** :

He told me that he was coming, *il m'a dit qu'il venait.*

He told me his name, *il m'a dit son nom.*

• Retenez que *dire*, lorsqu'il est seulement suivi d'un complément de personne, est (presque) toujours traduit par **to tell.**

• Autre sens : *raconter.*

• **to say to** + complément de personne est assez rare.

3. *Faire* : to do, to make

• **To do,** a un sens plus abstrait ; *accomplir, exécuter, s'acquitter de…*

• **To make,** a un sens plus concret ; *fabriquer, construire, former…*

• *Expressions :*

To do good, faire le bien.
To make tea, *faire (préparer) le thé.*
To do right, wrong, *faire bien, mal faire.*
To make a gesture, *faire un geste.*
To do one's duty, *faire son devoir.*
To make profits, *faire des bénéfices.*
To do one's military service, *faire son service militaire.*
To make war, peace, *faire la guerre, la paix.*
To do one's work, *faire son travail.*
To make a speech, *faire un discours.*
To do an exercise, *faire un exercice.*
To make a mistake, *faire une erreur.*
To do German, *faire de l'allemand.*
To make a noise, *faire du bruit.*
To do a room, *faire une chambre.*
To make a bed, *faire un lit.*

4. *En* : quelques traductions.

1. <u>Pronom</u> = *de cela* :
- traduit par une préposition **(in, at, of, to) + it.**

    He never speaks of it, *il n'en parle jamais.*
    I am surprised at it, *j'en suis surpris.*

- traduit par **some, any** ou **none.**

    Have you got any ? *en avez-vous ?*
    Give me some ! *donnez m'en !*
    I have none, *je n'en ai pas.*

2. <u>Préposition</u> = *en* + participe présent :
- *en* = *au moment où* : **on** :

    en arrivant, **on arriving.**

- *en* = *tout en, tandis que* : **while, as** :

    You must not phone while driving.
    Ill ne faut pas téléphoner en conduisant.

- *en* = *par le fait de* : **by, from, with, in** :

    to earn one's living by working
    gagner sa vie en travaillant.

3. <u>Adverbe</u> = *de là* : **from there** :

    Do you know South Africa ? I'm just back from there !
    Connaissez-vous l'Afrique du Sud ? J'en reviens !

4. *En* = *de, fait en* : nom + **-en** :

    Golden, *en or ;* **wooden,** *en bois ;* **woollen,** *en laine.*

5. *De* :
Avant de traduire *de*, bien saisir son sens en français.
Il peut indiquer entre autres :
- <u>la possession</u> : cas possessif

    John's house, *la maison de John.*

- <u>l'agent, le moyen</u> : **by, with** :

    With one hand, *d'une main.*
    By force, *de force.*

- <u>la cause</u> : **for, with, by** :

    Drunk with joy, *ivre de joie.*
    By his own authority, *de sa propre autorité.*

- <u>la manière</u> : **with, in, by** :

    With an appetite, *de bon appétit.*

- <u>la fonction</u> : **on** :
    On duty, *de service.*
- <u>la direction</u> : **to. The way to school**, *le chemin de l'école.*
- <u>le temps</u> : **in, by** : **In our day**, *de nos jours* ; **by day**, *de jour.*

6. *Que*

■ Pronom relatif : **which, whom, that.** (Voir ➡ nº 5, p. 57).

■ Exclamatif : **what, what a… !**

■ Conjonction *que* : **that** (souvent sous-entendu).

■ *Que = au point que, de telle sorte que* : **so that.**

■ La plupart des expressions contenant *que* sont traduites par un seul mot :

avant que	**before**	*après que*	**after**
parce que	**because**	*bien que*	**though**
jusqu'à ce que	**till, until**		

■ *Que* deuxième élément d'un comparatif de supériorité = **than** :
    Plus gros que, **bigger than.**

■ *Que* deuxième élément d'un comparatif d'égalité = **as** :
    Aussi grand que, **as tall as.**

7. *Pour*

■ **Préposition** :
- suivie d'un nom ou d'un pronom = **for** :
    A gift for Jane, *un cadeau pour Jeanne.*
    A parcel for you, *un paquet pour vous.*
- suivie d'un verbe :
pour = de façon à, afin de = **to** + infinitif :
    afin de ne pas, pour ne pas = **not to** :
    pour venir… **to come.**
    pour comprendre… **to understand.**
pour = pour ce qui est de, en ce qui concerne = **for** + nom verbal :
    It's more comfortable for writing.
    C'est plus confortable pour écrire.

■ **Conjonction** = *pour que* = **so that.**
    I was wearing a pink tie so that she should notice me.
    Je portais une cravate rose pour qu'elle me remarque.
Pour = quant à = **as for.**   *Quant à moi…* **as for me.**

8. Emplois de *to be*

■ *Elle a 25 ans,* **she is 25.**
  Quel âge avez-vous ? **how old are you ?**

■ *Le bateau a 10 mètres de long,* **the boat is 10 metres** (GB), **meters** (US) **long.**

■ *J'ai faim*   **I am hungry**   *j'ai tort*   **I am wrong**
  J'ai soif   **I am thirsty**   *j'ai raison* **I am right**
  J'ai chaud **I am warm**   *j'ai sommeil* **I am sleepy**
  J'ai froid   **I am cold**

■ *Il y a quelqu'un à la porte*   **there is somebody at the door.**
  Il y a deux hommes à la porte **there are 2 men at the door.**

■ *Il fait chaud*   **it is hot.**
  Il fait froid   **it is cold.**
  Il fait du vent **it is windy.**

9. Emplois de **to get**

■ **To get** + nom ou pronom = *obtenir, aller chercher, acheter :*
  Could you get me some cigars ?
  Pourrais-tu m'acheter des cigares ?
  He got his degree in 2001.
  Il obtint son diplôme en 2001.

■ **To get** + adjectif = idée de devenir :
  To get angry, *se mettre en colère.*
  To get old, *se faire vieux.*
  It is getting late, *il se fait tard.*

■ **To get** + participe passé = rôle d'auxiliaire ; *devenir, être :*
  They got married in 1990, *ils se sont mariés en 1990.*

■ **To get** + postposition = prend le sens de la postposition :
  To get back *revenir*   **to get out**   *sortir.*
  To get in   *entrer*   **to get through** *accomplir.*
  To get off   *ôter*   **to get up**   *se lever.*

• Remarque : **I have got,** *j'ai* ; car **I have** seul n'est souvent plus ressenti comme assez fort pour exprimer l'idée de posséder.

B. Faux-amis

Ce sont des mots qui font penser à un mot français mais qui ont un sens tout différent.

A

to abuse	*insulter*	abuser	to exaggerate
account	*compte*	acompte	deposit
to achieve	*accomplir*	achever	to complete
actual	*réel*	actuel	present, current
actually	*en fait*	actuellement	nowadays
advertisement	*réclame*	avertissement	warning
advice	*conseil*	avis	opinion
antics	*bouffonneries*	antique	ancient
apology	*excuse*	apologie	praise
appointment	*rendez-vous* *nomination*	appointement	wages
to assist	*aider*	assister à	to attend
to attire	*vêtir*	attirer	to attract
to attend	*assister à*	attendre	to wait
audience	*assistance* *public*	audience	interview session

B

balance	*équilibre*	balance	scales
ballot	*élection, vote*	ballot	bundle
band	*orchestre*	bande	gang
barracks	*caserne*	baraque	booth, hut

C

candid	*franc*	candide	artless
cave	*caverne*	cave	cellar
chandelier	*lustre*	chandelier	candle-stick
character	*personnage*	caractère	temper
charge	*prix*	charge	load
to chase	*poursuivre*	chasser	to hunt, to shoot
confidence	*confiance*	confidence	secret
conservatory	*serre*	conservatoire	music-academy
considerate	*attentionné*	considéré	respected
courtier	*courtisan*	courtier	broker

D

data	*données*	date	date
deception	*tromperie*	déception	disappointment
defiance	*défi*	défiance	diffidence
to demand	*exiger*	demander	to ask
deputy	*adjoint*	député	Member of Parliament

B. Faux-amis

to discharge	*congédier*	*décharger*	to unload
to dispose of	*se débarrasser de*	*disposer de*	to have, to benefit from
dot	*point*	*dot*	dowry
dungeon	*cachot*	*donjon*	keep

E

editor	*rédacteur (en chef)*	*éditeur*	publisher
estate	*propriété*	*état*	state
evidence	*témoignage*	*évidence*	patent fact
to exhibit	*exposer*	*exhiber*	to produce
to expose	*démasquer*	*exposer*	to exhibit ; to outline

F

fabric	*étoffe*	*fabrique*	factory
forgery	*contrefaçon*	*forge*	smithy
franchise	*droit de vote*	*franchise*	frankness
furniture	*meubles*	*fournitures*	supplies

G

grape	*raisin*	*grappe*	bunch
grief	*chagrin*	*grief*	grievance
groom	*valet d'écurie*	*groom*	hotel-boy
guardian	*tuteur*	*gardien*	keeper

H

habit	*habitude*	*habit*	clothes
hardy	*robuste*	*hardi*	bold
hazard	*péril*	*hasard*	chance

I

to impeach	*mettre en accusation*	*empêcher*	to prevent
inconvenient	*malcommode*	*inconvénient*	drawback
to indulge	*satisfaire*	*indulgent*	lenient
to injure	*blesser*	*injurier*	to abuse

L

labour	*travail*	*labour*	ploughing
lard	*saindoux*	*lard*	bacon
large	*grand, vaste*	*large*	broad, wide
lecture	*conférence*	*lecture*	reading
libel	*diffamation*	*libelle*	lampoon
library	*bibliothèque*	*librairie*	bookshop
lime	*chaux, tilleul*	*lime*	file
luxury	*luxe*	*luxure*	lust

B. Faux-amis

M

major	*commandant*	*major*	medical officer
malice	*méchanceté*	*malice*	mischief
a maniac	*un fou*	*un maniaque*	a crank
to march	*défiler au pas*	*marcher*	to walk
maroon	*grenat*	*marron*	brown
mechanic	*mécanicien*	*mécanique*	machinery
miser	*avare*	*misère*	poverty
miserable	*malheureux*	*misérable*	wretched ; poor

N

novel	*roman*	*nouvelle*	short story

O

office	*bureau*	*office (cuisine)*	pantry
		office (religieux)	service
opportunity	*occasion*	*opportunité*	convenience

P

pain	*douleur*	*peine*	grief
partition	*cloison*	*partition*	score
patron	*client*	*patron*	boss, employer
prejudice	*préjugé*	*préjudice*	damage
presently	*bientôt*	*à présent*	at present, now
to preserve	*mettre en conserve*	*préserver*	to keep
propriety	*justesse*	*propriété*	property, estate
prune	*pruneau*	*prune*	plum

R

raisins	*raisins secs*	*raisins*	grapes
range	*chaîne (mont)* *portée (arme)*	*rangée*	row
to range	*parcourir*	*ranger*	to tidy
to realize	*se rendre compte*	*réaliser*	to achieve
to regard	*considerer*	*regarder*	to look at
relation	*parent*	*relation*	acquaintance connection
to report to	*se présenter*	*reporter*	to postpone
rest	*repos*	*reste*	remainder, rest
to resume	*reprendre*	*résumer*	to sum up, to summarize
route	*itinéraire*	*route*	road
rude	*grossier*	*rude*	rough, hard, harsh

S

sable	*noir*	*sable*	sand
saloon	*salle de café*	*salon*	parlour, lounge
scholar	*boursier*	*écolier*	school-boy

sensible	*sensé*	*sensible*	sensitive
severe	*grave*	*sévère*	stern
store	*magasin*	*store*	blind
suite	*appartement*	*suite*	continuation
to supply	*fournir*	*supplier*	to implore
surname	*nom de famille*	*surnom*	nickname
to survey	*mettre à l'étude*	*surveiller*	to watch, to look after

T

talon	*griffes, serres*	*talon*	heel
treat	*régal*	*trait*	feature
to trespass	*enfreindre*	*trépasser*	to die
trivial	*banal*	*trivial*	coarse, vulgar
truant	*celui qui fait l'école buissonnière*	*truand*	ruffian, crook
trump	*atout*	*trompe*	horn, trunk (éléphant)

U

umbrella	*parapluie*	*ombrelle*	sunshade

V

verger	*sacristain*	*verger*	orchard
vest	*maillot de corps*	*veste*	jacket, coat
vicar	*curé (anglican)*	*vicaire*	curate (anglican)
vicious	*méchant*	*vicieux*	perverse

W

waggon	*chariot*	*wagon (de marchandise)*	truck

C. Les nombres

1. Adjectifs cardinaux

0 **zero**	[źierôou]		15 **fifteen**	[fifti:n]
1 **one**	[wœn]		16 **sixteen**	[siksti:n]
2 **two**	[tou]		17 **seventeen**	[sèventi:n]
3 **three**	[śri]		18 **eighteen**	[ëïti:n]
4 **four**	[foʳ]		19 **nineteen**	[naïnti:n]
5 **five**	[faïv]		20 **twenty**	[twènti]
6 **six**	[siks]		30 **thirty**	[serti]
7 **seven**	[sèven]		40 **fourty**	[forti]
8 **eight**	[ëït]		50 **fifty**	[fifti]
9 **nine**	[naïn]		60 **sixty**	[siksti]
10 **ten**	[tèn]		70 **seventy**	[sèventi]
11 **eleven**	[ilèven]		80 **eighty**	[ëïti]
12 **twelve**	[touèlv]		90 **ninety**	[nainti]
13 **thirteen**	[śerti:n]		100 **a hundred**	[hœndrid]
14 **fourteen**	[foʳti:n]		1000 **a thousand**	[śaouzend]

- Ensuite on a : 21 **twenty-one** ;   22 **twenty-two**, etc.
  33 **thirty-three** ;   34 **thirty-four,** etc.
- On emploie **and** devant les unités et les dizaines à partir de 100.

  101 **one hundred and one**
  162 **one hundred and sixty-two**
  1004 **one thousand and four**
  2055 **two thousand and fifty-five**
  4852 **four thousand eight hundred and fifty-two.**

Hundred, thousand, dozen *(douzaine)* sont <u>adjectifs</u> et donc <u>invariables</u> : **two thousand dollars**, 2 000 dollars.

➡ Remarque : employés comme nom, ils prennent le **s** du pluriel.

   Hundreds of men… *des centaines d'hommes…*
   Thousands of soldiers… *des milliers de soldats…*

- Pour lire une année : 1999 se lira **nineteen ninety nine.**

- *Une fois* = **once** ; *deux fois* = **twice.**
Ensuite on a : **three times** *trois fois ;* **four times** *quatre fois…*

C. Les nombres

2. Adjectifs ordinaux

1er	**1st first**	[fe^rst]	6^e	**6th sixth**	[siksś]	
2^e	**2nd second**	[sèkend]	7^e	**7th seventh**	[sèvenś]	
3^e	**3rd third**	[se^rd]	8^e	**8th eighth**	[ëïtś]	
4^e	**4th fourth**	[fo^rś]	9^e	**9th ninth**	[naïnś]	
5^e	**5th fifth**	[fifś]	10^e	**10th tenth**	[tènś]	

1er **1st first** [fe^rst]   6e **6th sixth** [siksś]
2e **2nd second** [sèkend]   7e **7th seventh** [sèvenś]
3e **3rd third** [se^rd]   8e **8th eighth** [ëïtś]
4e **4th fourth** [fo^rś]   9e **9th ninth** [naïnś]
5e **5th fifth** [fifś]   10e **10th tenth** [tènś]
11e **11th eleventh** [ilèvenś]   **30th thirtieth** [se^rtieś]
12e **12th twelfth** [touèlvś]   **40th fortieth** [fo^rtieś]
13e **13th thirteenth** [se^rti:nś]   **50th fiftieth** [fiftieś]
14e **14th fourteenth** [fo^rti:nś]   **60th sixtieth** [sikstieś]
15e **15th fifteenth** [fifti:nś]   **70th seventieth** [sèventieś]
16e **16th sixteenth** [siksti:nś]   **80th eightieth** [ëïtieś]
17e **17th seventeenth** [sèventi:nś]   **90th ninetieth** [naïntieś]
18e **18th eighteenth** [ëïti:nś]   **100th hundredth** [hœndridś]
19e **19th nineteenth** [naïnti:nś]   **1000th thousandth** [śaouzendś]
20e **20th twentieth** [twèntieś]

Du 21e au 99e c'est le chiffre des unités qui est ordinal.

22nd : twenty-second ;   33nd : thirty-third.
58th : fifty-eighth ;   66th : sixty-sixth, etc.

- Pour une date : *le 15 mai* par exemple :
  on écrit : **May 15th, 15th May, May 15, 15 May.**
  mais on lit : **May the fifteenth** ou **the fifteenth of May.**
- Pour un souverain : on écrit **Elizabeth II,**
  mais on lit **Elizabeth the Second.**
- *Pour la « nième fois »* : **for the nth** [èns] **time.**
- Pour lire les fractions :

1/3 : **one third** ; 1/5 : **one fifth** ; 2 3/4 : **two and three quarters.**
Pour les fractions décimales, remarquez le « point » au lieu de la
« virgule ».

3,52 = **3.52** et se lit : **three point five two.**

3. Mesures

■ LENGTH = Longueur

1 **inch** (1 **in**, 1")	=	0,0254 m.	=	2,54 cm
1 **foot** (1 **ft**, 1')	=	0,305 m.	=	30,48 cm
1 **yard** (1 **yd**)	=	0,91 m.		
1 **mile** (1 **ml**)	=	1609,34 m.		

1 **ft** = 12 **ins** ; 1 **yd** = 3 **ft.**

C. Les nombres

■ CAPACITY

    1 **pint** [païnt] = *0,568 l.*
    1 **quart** [kwort] = **2 pints.** = *1,136 l.*
    1 **gallon** anglais (**gl**) = *4,54 l.*
               américain (**U.S. gl**) = *3,78 l.*

■ WEIGHT = *Poids*

    1 **ounce** (1 oz) = *28,35 g.*
    1 **pound** (1 lb) = *453,59 g.*
    1 **stone** (1 st) = *6,35 kg* = **14 lbs.**
    1 **hundredweight** (cwt) = *50,80 kg* = **112 lbs.**
    1 **ton** = *1016 kg* = **20 cwt.**

■ TEMPÉRATURE

D° Centigrade	D° Fahrenheit
− 20	− 4
− 18	0
− 5	23
0	32
10	50
20	68
37	98,4
100	212

* Pour convertir les *F°* en **C°**, ôtez 32 et multipliez par 5/9.
* Pour convertir les *C°* en **F°**, multipliez par 9/5 et ajoutez 32.

■ PRESSURE = *Pression*

    1 **pound per square inch** (**1 psi**) = *0,070 kg*/cm.

Pour les pneus :	kg/cm	psi	kg/cm	psi
	1	14,3	1,5	21,1
	1,1	15,7	1,6	22,8
	1,2	17	1,7	24,2
	1,3	18,5	1,8	25,7
	1,4	20	1,9	28,5

D. Verbes irréguliers

• Ce sont des verbes dont l'infinitif ne permet pas de prévoir le prétérit et le participe passé.
Il est nécessaire de bien les connaître, car ce sont souvent des verbes très usuels. Comment parler anglais sans savoir dire : *aller, faire, prendre, garder, voir,* etc. ?

• Il faut non seulement connaître leur infinitif ou leur présent, mais aussi leurs formes irrégulières, **prétérit** et **participe passé.** Ce dernier aide à former de nombreux temps (***present perfect, pluperfect,*** etc.). Quant au **prétérit,** c'est le temps utilisé en anglais quand on rapporte ce qu'on a fait hier ou la semaine dernière, etc. Combien de fois, dans la conversation courante, reviennent des formes du genre « *hier j'ai vu, j'ai rencontré, nous sommes allés, j'ai acheté,* etc… ! » c.-à-d. en anglais autant de verbes irréguliers à employer au prétérit.

Infinitif	Prétérit	Participe passé	
to arise	arose	arisen	*s'élever*
to awake°	awoke	awoke	*(s')éveiller*
to be	was	been	*être*
to bear	bore	borne	*porter, supporter*
to beat	beat	beaten	*battre*
to become	became	become	*devenir*
to begin	began	begun	*commencer*
to bend	bent	bent	*courber*
to bet°	bet	bet	*parier*
to bid	bade	bidden	*ordonner*
to bid	bid	bid	*enchérir*
to bind	bound	bound	*lier*
to bite	bit	bitten	*mordre*
to bleed	bled	bled	*saigner*
to blow	blew	blown	*souffler*
to break	broke	broken	*casser*
to breed	bred	bred	*produire, élever*
to bring	brought	brought	*apporter*
to build	built	built	*construire*
to burn°	burnt	burnt	*brûler*
to burst	burst	burst	*éclater*
to buy	bought	bought	*acheter*
to cast	cast	cast	*lancer*
to catch	caught	caught	*attraper*
to choose	chose	chosen	*choisir*

° <u>Verbes ayant également des formes « régulières »</u>

D. Verbes irréguliers

to cling	clung	clung	*s'accrocher*
to come	came	come	*venir*
to cost	cost	cost	*coûter*
to creep	crept	crept	*ramper*
to cut	cut	cut	*couper*
to deal	dealt	dealt	*distribuer*
to dig	dug	dug	*creuser, bêcher*
to do	did	done	*faire*
to draw	drew	drawn	*tirer, dessiner*
to dream°	dreamt	dreamt	*rêver*
to drink	drank	drunk	*boire*
to drive	drove	driven	*conduire*
to dwell°	dwelt	dwelt	*demeurer*
to eat	ate	eaten	*manger*
to fall	fell	fallen	*tomber*
to feed	fed	fed	*(se) nourrir*
to feel	felt	felt	*éprouver, se sentir*
to fight	fought	fought	*combattre, se battre*
to find	found	found	*trouver*
to flee	fled	fled	*s'enfuir*
to fling	flung	flung	*jeter*
to fly	flew	flown	*voler (avion)*
to forbid	forbade	forbidden	*interdire*
to forget	forgot	forgotten	*oublier*
to forgive	forgave	forgiven	*pardonner*
to forsake	forsook	forsaken	*abandonner*
to freeze	froze	frozen	*geler*
to get	got	got	*obtenir*
to give	gave	given	*donner*
to go	went	gone	*aller*
to grind	ground	ground	*moudre, aiguiser*
to grow	grew	grown	*grandir, devenir, faire pousser*
to hang°	hung	hung	*pendre*
to have	had	had	*avoir*
to hear	heard	heard	*entendre*
to hide	hid	hid, hidden	*cacher, se cacher*
to hit	hit	hit	*frapper*
to hold	held	held	*tenir*
to hurt	hurt	hurt	*blesser*
to keep	kept	kept	*garder*
to kneel	knelt	knelt	*s'agenouiller*
to know	knew	known	*savoir, connaître*

D. Verbes irréguliers

to lay	laid	laid	*poser, étendre*
to lead	led	led	*conduire, mener*
to lean°	leant	leant	*se pencher*
to leap°	leapt	leapt	*sauter, bondir*
to learn°	learnt	learnt	*apprendre*
to leave	left	left	*laisser, quitter*
to lend	lent	lent	*prêter*
to let	let	let	*laisser, louer*
to lie	lay	lain	*être étendu*
to light°	lit	lit	*allumer, éclairer*
to lose	lost	lost	*perdre*
to make	made	made	*faire*
to mean	meant	meant	*signifier, vouloir dire, avoir l'intention de*
to meet	met	met	*rencontrer*
to mow	mowed	mown	*faucher*
to overcome	overcame	overcome	*surmonter*
to pay	paid	paid	*payer*
to put	put	put	*mettre*
to read	read	read	*lire*
to rend	rent	rent	*déchirer*
to rid°	rid	rid	*débarrasser*
to ride	rode	ridden	*aller à cheval, à bicyclette*
to ring	rang	rung	*sonner*
to rise	rose	risen	*se lever*
to run	ran	run	*courir*
to saw	sawed	sawn	*scier*
to say	said	said	*dire*
to see	saw	seen	*voir*
to seek	sought	sought	*chercher*
to sell	sold	sold	*vendre*
to send	sent	sent	*envoyer*
to set	set	set	*placer, fixer*
to sew [soou]	sewed	sewn	*coudre*
to shake	shook	shaken	*secouer*
to shed	shed	shed	*verser (larmes)*
to shine	shone	shone	*briller*
to shoot	shot	shot	*tirer (coup de feu)*
to show	showed	shown	*montrer*
to shrink	shrank	shrunk	*rétrécir*
to shut	shut	shut	*fermer*
to sing	sang	sung	*chanter*
to sink	sank	sunk	*sombrer*

D. Verbes irréguliers

to sit	sat	sat	*être assis*
to slay	slew	slain	*tuer*
to sleep	slept	slept	*dormir*
to slide	slid	slid	*glisser*
to smell	smelt	smelt	*sentir*
to sow	sowed	sown	*semer*
to speak	spoke	spoken	*parler*
to spell°	spelt	spelt	*épeler*
to spend	spent	spent	*passer du temps*
to spill°	spilt	spilt	*répandre*
to spin	span	spun	*filer*
to split	split	split	*(se) fendre*
to spoil°	spoilt	spoilt	*gâter*
to spread	spread	spread	*(s')étendre*
to spring	sprang	sprung	*bondir*
to stand	stood	stood	*se tenir debout*
to steal	stole	stolen	*voler*
to stick	stuck	stuck	*coller*
to sting	stung	stung	*piquer (insectes)*
to stink	stank	stunk	*sentir mauvais*
to strike	struck	struck	*frapper*
to swear	swore	sworn	*jurer*
to sweep	swept	swept	*balayer*
to swell	swelled	swollen	*enfler*
		swelled	
to swim	swam	swum	*nager*
to swing	swung	swung	*(se) balancer*
to take	took	taken	*prendre*
to teach	taught	taught	*enseigner*
to tear	tore	torn	*déchirer*
to tell	told	told	*dire*
to think	thought	thought	*penser*
to thrive°	throve	thriven	*prospérer*
to throw	threw	thrown	*jeter*
to understand	understood	understood	*comprendre*
to wake°	woke	waked	*éveiller*
to wear	wore	worn	*porter (vêtements)*
to weep	wept	wept	*pleurer*
to win	won	won	*gagner, vaincre*
to wind	wound	wound	*tourner, remonter*
to withdraw	withdrew	withdrawn	*(se) retirer*
to wring	wrung	wrung	*tordre, arracher*
to write	wrote	written	*écrire*

TABLE DE PRONONCIATION

MOTS	Transcription	Valeurs des sons	lettre symbole utilisée ici	symbole A.P.I.	
		Sons brefs			
city	(siti)	son *i* de *mini*, en plus bref	i	ɪ	'sɪtɪ
family	(family)	son *a* de *patte*	a	æ	'fæmɪlɪ
coffee	(kofi)	son *o* de *note*, plus bref	o	ɒ	'kɒfɪ
book	(bouk)	son *ou* de *pou*, plus bref	ou	ʊ	bʊk
bread	(brèd)	son *è* de *fève*	è	ɜ	bred
cup	(kœp)	son entre *a* et *eu* de *neuf*	œ	ʌ	kʌp
a	(e)	son *e* de *le*	e	ə	ə't∫e
		Sons allongés			
week	(wi:k)	son *i* de *mie*, plus long	i :	ɪ	wɪːk
fast	(fa:st)	son *â* de *âme*, plus long	a :	a	fɑːst
caught	(ko:t)	son *o* de *gorge*, plus long	o :	ɔ	kɔːt
moon	(mou:n)	son *ou* de *moue*, plus long	ou :	ʊ	mʊːn
work	(we:k)	son *eu* de *peur*, plus long	e :	ɜ	wɜːk
		Sons doubles (appelés **diphtongues**)			
dry	(draï)	comme dans *aïe !*	aï	aɪ	draɪ
wait	(wéït)	comme dans *oseille*	eï	eɪ	weɪt
boy	(boï)	comme dans *oyez !*	oï	ɔɪ	bɔɪ
town	(taoun)	comme dans *caoutchouc*	aou	əʊ	taʊn
go	(gôou)	*ô* glissant sur *ou*	ôou	əʊ	gəʊ
near	(ni-eʳ)	*i* glissant sur *e*	i-e	ɪə	nɪə
poor	(poueʳ)	*ou* glissant sur *e*	oue	ʊə	pʊə
pair	(pèeʳ)	*è* glissant sur *e*	èe	ɛə	peə
		Consonnes			
that	(żat)	z, zézaiyé	ż	ð	ðæt
thought	(ŝo:t)	s, langue entre les dents	ŝ	θ	θɔːt
dining	(daïniṅ)	comme dans *din,ding*	ṅ	ŋ	'daɪnɪŋ
measure	(mèjeʳ)	avec le j de jeu	j	ʒ	'meʒə
job	(djob)	les **j** se prononcent *dj* (comme dans *Djamel*)	dj	dʒ	dʒɒb
ship	(chip)	les **sh** se prononcent *ch*, comme dans *chat*	ch	∫	∫ɪp
cheque	(tchèk)	les **ch** se prononcent tch, comme dans *tchèque*	tch	t∫	t∫ek
help	(hèlp)	le **h**, dit « aspiré », est en fait « expiré »	h	h	help

• Dans le système employé dans cet ouvrage, la syllabe accentuée comporte une ou plusieurs lettre en gras : ex. **family** (**f**amily) ; **apply** (e**pla**ï)
• Dans le système de l'*A.P.I.* (*Association phonétique internationale*), la syllabe accentuée est précédée d'une apostrophe : ex ; **family** ('fæmili ; **apply** (ə'plai)

INDEX

Les numéros renvoient aux pages

INDEX

INDEX

Composé par DÉCLINAISONS et Atelier JOMI
Imprimé par MAURY-IMPRIMEUR
45330 Malesherbes, janvier 2011
N° d'impression : 161378
Dépôt légal : juillet 2008
POCKET – 12, avenue d'Italie - 75627 Paris cedex 13
S16443/06

Imprimé en France